Paasilinna   Vom Himmel in die Traufe

Weitere Titel des Autors:

Das Jahr des Hasen
Die Giftköchin
Der Sohn des Donnergottes
Im Wald der gehängten Füchse
Die Rache des glücklichen Mannes
Der Sommer der lachenden Kühe
Vorstandssitzung im Paradies
Der wunderbare Massenselbstmord
Nördlich des Weltuntergangs
Im Jenseits ist die Hölle los
Ein Bär im Betstuhl
Ein Elefant im Mückenland
Zehn zärtliche Kratzbürsten
Adams Pech, die Welt zu retten
Der liebe Gott macht blau

Erster Teil

1

Über den sommerlichen Inarisee pfiff ein kalter Wind. Der arbeitslose Holzfäller Hermanni Heiskari starrte mürrisch in die runde Öffnung, die er in das gut einen Meter dicke Eis gebohrt hatte, und knurrte:

»Alles für die Katz.«

Aus diesem Eisloch hatte Hermanni Heiskari, 49, weder einen Saibling noch irgendeinen anderen Fisch gezogen, und auch nicht aus den zehn anderen Eislöchern, an denen er im Verlaufe der letzten zwei Tage geangelt hatte. Die Eisdecke auf dem See war immer noch so dick, obwohl es bereits Juni war. An den Ufern war hier und da bereits Schmelzwasser zu sehen, aber weiter draußen war das Eis ganz fest. Oft wurden auf dem Inarisee noch zu Mittsommer Wettbewerbe im Eisangeln ausgetragen. Die Männer feierten die ganze Nacht, veranstalteten anschließend die Wettkämpfe, und am nächsten Tag fuhren sie nach Hause, um Heu zu machen.

Wenn ein Angler statt Lachs Erbsensuppe aus der Dose essen muss, macht ihn das wütend, vor allem dann, wenn er arbeits- und mittellos ist. Und dazu dieses Wetter! Bereits am vergangenen Abend hatte der Wind in kalten Böen von Norden geweht, gegen Morgen hatte er auf Westen gedreht und war vor einer Stunde fast zum Sturm angeschwollen. Hermanni schätzte, dass jetzt um die Mittagszeit die Windgeschwindigkeit bereits fünfzehn Meter pro Sekunde betrug, und sie schien weiter zuzunehmen. Außerdem fielen Schneeflocken, die dem Angler ins Gesicht peitschten, sowie er sich nach Westen wandte.

Hermanni Heiskari war ein hochgewachsener Mann, er hatte ein längliches Gesicht, seine grauen Augenbrauen waren buschig und zurzeit bereift, und er hatte breite Pranken und einen langen Rücken. Man sah ihm an, dass er viel körperlich gearbeitet hatte. Er war ein Mann der Wälder, tief verwurzelt hier oben im Norden.

Doch immer öfter überkam ihn das Gefühl, dass es viel lustiger sein müsste, das Leben eines reichen Mannes zu führen. Eines Mannes, der es sich leisten konnte, in einem warmen Land am Swimmingpool zu liegen, und der sich nur körperlich anstrengen musste, um sich auf die andere Seite zu wälzen, wenn ihm die Sonne zu sehr den Pelz verbrannte.

Hermanni war nun schon fast anderthalb Jahre ohne Arbeit. Das leistungsbezogene Tagegeld war nur noch wehmütige Erinnerung. Als armer Wanderarbeiter besaß er keinen Motorschlitten, und so konnte er nicht vor dem Sturm flüchten und rasch ans Ufer fahren. Also blieb er einfach vor seinem Eisloch sitzen und dachte, dass es letztlich egal war, ob er hier draußen erfror oder an Land verhungerte.

Es stürmte immer heftiger. Hermanni musste sich zusammenkauern, damit ihn die Böen nicht von seinem Angelhocker fegten. Er sagte sich, dass die Fische bei diesem Wetter vermutlich nicht anbeißen würden. Andererseits fragte er sich, wie sie unter dem dicken Eis überhaupt wissen konnten, welche Windverhältnisse hier oben herrschten? Vielleicht sagte der Luftdruck den Fischen ja wirklich mehr als den Menschen, und zurzeit herrschte Tiefdruck.

7

Luftdruck hin oder her, plötzlich spannte sich die Leine, und die Rute wäre fast ins Eisloch gerutscht. Ein Wunder! Hermanni rollte die Leine auf, und das machte richtig Mühe, fast so, als hätte ein großes Raubtier den Köder geschluckt. Der Sturm war vergessen, jetzt brachte der Eifer das Blut des Anglers in Wallung. Bald stieß das Maul des Fisches von unten gegen den Rand des Eislochs, aber das Tier war zu groß für die Öffnung. Hermanni warf sich bäuchlings aufs Eis und versuchte in die Tiefe zu spähen. Zu dumm, dass er keine Taschenlampe dabeihatte. Der Kopf des Fisches verstopfte die Öffnung, aber herausziehen ließ sich der Bursche nicht, da er zu dick war. Hermanni befestigte die Leine an seinem Angelhocker und machte sich daran, neben dem Eisloch ein zweites zu bohren. Er hoffte, dass der Fisch vielleicht durch die doppelte Öffnung passte, er musste nur vorsichtig sein, dass er beim Bohren nicht die Angelleine durchtrennte.

Dann trug der Sturm auf einmal aus westlicher Richtung, von den Inseln Kahkusaari und Viimassaari, ein lautes Geräusch herüber, ein Krachen, das sich anhörte, als würden Bäume umstürzen. Das Schneegestöber nahm Hermanni die Sicht, doch er hatte sowieso keine Zeit, dem Sturm zu lauschen, er musste seine Beute retten, einen Fisch, der so riesig war, dass er nicht durchs Eisloch passte.

Der Lärm verebbte, und unmittelbar darauf tauchte aus dem Flockenwirbel die Quelle des Geräusches auf. Ein riesiger, roter Heißluftballon trieb pfeilschnell über das Eis, er zog eine ramponierte, zerfetzte Gondel hinter sich her, in der sich mindestens eine Person befand, es war eine Frau, die gellend auf Schwedisch um Hilfe rief. Der Ballon sauste an Hermanni vorbei und wäre vom Schneegestöber geschluckt worden, doch dann traf er am Ufer der kleinen

Selkäsaari-Inseln auf eine Gruppe Krüppelkiefern, in der er mit seiner Gondel und den verfitzten Seilen hängen blieb. Schwache Hilferufe klangen herüber. Dort war die Not groß, das wusste Hermanni sehr wohl, doch hatte er auch einen riesigen Fang am Haken, den es ebenfalls zu retten und aufs Eis zu ziehen galt.

Nein, er durfte nicht zögern. Hermanni ließ den Eisbohrer im halb fertigen Loch stecken und lief hinüber zu den Inseln, wo der Sturmwind den riesigen roten Ballon auf die Eisdecke peitschte und die Frauenstimme immer kläglicher rief:

»Hjälp! Hjälp! Hilfe! Hilfe!«

Hermanni Heiskari rannte schneller. Als er sich der äußeren Insel näherte, sah er den Ballon, der mit großen Lettern beschriftet war: Rotes Kreuz Åland. Im Korb hockte schlotternd eine Frau im Pelzmantel, sie hatte blutige Schrammen im Gesicht und stand offenbar unter Schock. Hermanni durchtrennte mit dem Dolch die sechzehn dicken Seile zwischen Ballon und Gondel. Als das geschehen war, stieg der riesige Ballon leicht wie eine Feder zum Himmel auf und verschwand nach wenigen Sekunden im Schneegestöber. Die Gondel plumpste aufs steinige Ufer, und heraus kroch zitternd eine etwa vierzigjährige Frau. Hermanni hob sie hoch und trug sie an eine geschützte Stelle hinter ein par kleinen Kiefern und großen Felsplatten.

»Ich bin Hermanni Heiskari, und wer sind Sie?«

»Bin ich in Finnland?«, rief die Frau verdutzt. Als Hermanni ihr das bestätigt hatte, jawohl, in Finnland, auf dem Inarisee, konnte sie es gar nicht glauben. Sie hatte angenommen, im Nordteil des Bottnischen Meerbusens, irgendwo bei Luleå, verunglückt zu sein.

9

»Ich heiße Lena Lundmark.«

Die Frau, erregt durch die Notlandung, war schön. Ihr offenes braunes Haar wehte im Wind. Die großen braunen Augen waren weit aufgerissen und die sinnlichen Lippen geschürzt wie bei einem kleinen Mädchen.

Hermanni machte Anstalten, sie zu untersuchen, denn sie klagte über ihre linke Hüfte und den Oberschenkel. Womöglich war die Hüfte ausgerenkt, vermutete Hermanni.

Lenas Winterkluft bestand aus Nerz. Es war kein Pelzmantel, sondern ein Ensemble aus Jacke und Hose, alles von einem weiblichen Tier aus Farmzüchtung. Hermanni öffnete den Reißverschluss der Hose und steckte prüfend die Hand ins linke Bein. Die Patientin klagte laut. Als er seine Hand anschließend betrachtete und beschnupperte, stellte er fest, dass kein Blut daran klebte, auch war kein entsprechender Geruch zu vermerken.

»Zum Glück sind keine Knochen kaputt.«

Hermanni bettete die Patientin hinter einen Stein und kehrte zu seiner Angelstelle zurück. Dort beendete er die Bohrung am zweiten Loch und zog aus der so entstandenen größeren Öffnung einen Saibling von sieben Kilo Gewicht, der noch lebte und in guter Verfassung war.

Lena Lundmark war völlig außer sich. Sie richtete sich auf und hielt nach dem Mann Ausschau, der einfach davongegangen war und dort draußen in aller Ruhe zu angeln schien. Sie rief auf den See hinaus, dass sie ihm alles geben würde, was er verlangte, wenn er nur zurückkehren und ihr helfen würde.

Hermanni tötete den Fisch, von der Insel klangen die fordernden Rufe der Frau herüber. Während er den dicken Lachs musterte, überkam ihn ein glückliches Gefühl. Vielleicht wendete sich ja jetzt sein Schicksal! Er hatte einen zweifach guten Fang gemacht, in seinen Händen hielt er einen wirklichen Riesenfisch, und drüben saß sein neuer Schützling, eine offenbar reiche Frau. Das eine war ihm von unten, das andere von oben gegeben worden, der Fisch kam aus den Tiefen des Inari, die Frau aus den Höhen des Himmels. Der Sturm war voller Verheißungen, so wie in der alten Legende, in der ein Geist in Gestalt eines Fisches dem armen Fischersmann die herrlichsten Versprechungen macht. Hermanni sammelte sein Zeug zusammen und machte sich mitsamt seinem Fang auf den Weg zu der notgelandeten Frau. Unterwegs sah er vier vom Sturm gezauste Schwäne, die sehr tief über die Selkäsaari-Inseln hinwegflogen. Unter lautem Geschrei schwebten sie, vom Flockenwirbel begleitet, gen Osten.

Hermanni Heiskari zog eine Decke aus seinem Rucksack und breitete sie für den Gast auf der Erde aus. Dann holte er seinen Proviant hervor und machte zwei Brote zurecht, zum Hinunterspülen bot er Kaffee aus seiner Thermosflasche an.

»Ich hatte Angst, dass Sie mich hier auf der Insel meinem Schicksal überlassen, weil Sie so lange wegblieben«, sagte die Frau. Sie begann sich zu beruhigen.

Hermanni erzählte ihr, dass er einen großen Saibling aus dem Wasser ziehen musste, der im selben Moment an seiner Angel angebissen hatte, da Frau Lundmark mit ihrem Ballon vom Himmel und mitten auf den See gefallen war.

»Ein prächtiger Fisch«, lobte sie.

Hermanni überlegte, wohin er die Verunglückte bringen sollte. Hier konnte er mit ihr nicht lange bleiben, sie war immerhin so schwer verletzt, dass sie nicht laufen konnte, und wegen des Sturms konnte er außerdem kein Feuer machen.

Lena Lundmark hatte ebenfalls über ihr Schicksal nachgedacht. Die Situation war ernst.

»Ein Wunder, dass ich überlebt habe.«

»Genau«, bestätigte Hermanni.

Lena Lundmark erzählte in aller Kürze, dass sie morgens am Nordkap in Norwegen mit dem Ballon aufgestiegen war, zu einem Zeitpunkt, als es noch fast windstill gewesen war. Sie hatte beabsichtigt, sich nach Süden treiben zu lassen, nach Åland, wo sie zu Hause war, oder, falls der Wind launisch gewesen wäre, vielleicht nach Oslo oder Stockholm.

»Ich bin von Beruf Abenteurerin. Und was treiben Sie?«

»Bin bloß ein gewöhnlicher fliegender Geselle.«

»Sieh an, also ebenfalls in der Luftfahrt, welch Zufall!«

Nun besprachen sie, wie weit es bis zum nächsten Krankenhaus wäre. Hermanni schätzte, dass die Entfernung nach Ivalo etwa fünfzig Kilometer betrug. Luftlinie allerdings, denn auf dem Weg über das Eis und durchs Labyrinth der vielen Inseln kämen zwei Meilen hinzu. Lena Lundmark wurde ernst. Sie schwieg lange, schließlich machte sie einen Vorschlag:

»Ich gebe Ihnen, was Sie wollen, wenn Sie mich ins Krankenhaus bringen. Ich bin eine reiche Frau.«

»Hätte ich bloß einen Motorschlitten, dann wäre die Sache einfach. Ich hab aber keinen, bin nicht reich, bin's nie gewesen.«

»Ich zahle Ihnen bis zu einer Million Mark, wenn Sie mich retten«, versprach Lena Lundmark bereitwillig. Sie erklärte, dass sie Schiffe und ein großes Speditionsunternehmen besaß.

Hermanni meinte, dass es hier nicht ums Geld gehe. Wenn er wenigstens einen Ackja, den Lappenschlitten, besäße, aber auch diesbezüglich musste er passen.

»Könnten Sie nicht rasch einen Ackja oder einen Motorschlitten kaufen gehen?«

»Hier gibt es keine Läden.«

Hermanni erinnerte sich, dass es auf der Insel Kahkusaari, etwa drei Kilometer entfernt, eine Wanderhütte gab, die zumindest früher mit einem Telefon ausgestattet gewesen war. Dorthin würde er die verunglückte Abenteurerin tragen. Sie könnten übernachten und nach einem Flugzeug telefonieren, das die Patientin abholen und nach Ivalo bringen würde, wenn nur erst der Sturm nachgelassen hätte.

Hermanni untersuchte die Konsole des Heißluftballons, fand sie aber leer. Kein Proviant, nichts zu trinken, keine Wanderausrüstung. Der Nerzanzug und die Nerzkappe sowie die Stiefel an ihren Füßen waren das ganze Rüstzeug der Frau. Im Korb befand sich nicht mal mehr eine Gasflasche, die die Energie lieferte, damit sich der Ballon in der Luft hielt. Lena Lundmark erzählte ihm, dass sie gezwungen gewesen war, die gesamte Ausrüstung über Bord zu werfen, als der Ballon im Sturm ständig an Höhe verloren hatte. Sie hatte Angst davor gehabt, bei dem Wetter notzulanden. Der Ballon hatte sich zuletzt nur in der Luft gehalten, weil sie durch den Abwurf sein Gewicht verringert hatte, aber schließlich war alles Überflüssige von Bord und die Landung nicht mehr zu verhindern gewesen. Zum Glück war diese auf dem Eis und nicht im Wald erfolgt, auch wenn der Ballon zuvor bereits die Baumwipfel gestreift hatte.

Hermanni lobte sie für ihr mutiges Handeln, erkundigte

sich aber zugleich, was eine Frau veranlasste, mit einem Ballon aufzusteigen, noch dazu ganz allein.

»Das war eine Aktion zur Unterstützung des Roten Kreuzes. Ich hatte mir vorgenommen, einen Rekord zu fliegen. In den Interviews mit der Presse hätte ich von all den großartigen Projekten des Katastrophenfonds erzählt.«

Lena Lundmark war der Meinung, dass man mit solchen spektakulären Aktionen die Aufmerksamkeit der heutigen Medien gewann. Schickte man den Journalisten Fotos hungernder Kinder oder blutender Soldaten, reagierten sie kaum, aber das Abenteuer mit einem roten Ballon, an dem in großen Lettern Rotes Kreuz stand, bekam mehr Spalten als ein kleiner Krieg.

»Hier sind aber keine Journalisten.«

Hermanni wartete, bis Lena Lundmark ihr Butterbrot gegessen und den Kaffee getrunken hatte. Dann schwang er sich den Rucksack über die Schulter, hob die Patientin auf seine Arme und stapfte in westliche Richtung davon, mitten hinein in den heulenden Sturm und das Schneegestöber.

Lena Lundmarks roter Ballon flog, vom Sturm gezaust, mit rasender Geschwindigkeit gen Osten. Er hielt sich viele Stunden in der Luft, bis schließlich die Kräfte sowohl des Sturmes als auch des Ballons erlahmten. Der Ballon landete in der Ponoi-Ebene auf der östlichen Halbinsel Kola, in der Nähe eines Dorfes, wo ihn der russische Afghanistan-Veteran Grigori Tschubakow in den Weidenzweigen am Flussufer entdeckte. Der auffallende Schriftzug vom Roten Kreuz Ålands veranlasste Grigori zu der flüchtigen Überlegung, ob er die Behörden über den Fund informieren müsste. Aber verflixt, warum eigentlich? Die vermaledeite Miliz würde den guten und teuren Stoff beschlagnahmen.

Und so beschloss er, den Ballon für seine eigenen Zwecke zu nutzen. Im Laufe des Sommers nähte er daraus dreißig rote Zelte, die er entlang der Küste und in den Einöddörfern am Fluss an Jäger und Wanderer verkaufte. Das Geld vertrank er. Seine Ausbeute betrug fast hundert Flaschen Wodka.

2

Bei starkem Gegenwind eine erwachsene Frau zu tragen, und sei es auch nur über eine Distanz von drei Kilometern, ging auf die Kräfte, wie Hermanni Heiskari feststellte, der wahrlich kein kleiner Mann war. Wenn man lange arbeitslos war, ließ die Kondition nach, das musste er sich eingestehen. Am liebsten hätte er die Last zwischendurch auf dem Eis abgelegt und eine Zigarette geraucht, aber als Gentleman-Waldbursche kämpfte er sich, mit Lena auf den Armen, bis zum Ziel durch. Die Hütte stand dicht am Ufer einer nach Südwesten hin offenen Bucht, vorgelagert war eine kleine Nebeninsel, außerdem ragten mehrere Felsen aus dem Eis. Es war eine karge Unterkunft, aber sie bot Schutz vor dem Wind, und, als Hermanni Feuer im Herd gemacht hatte, auch Wärme. In der Hütte waren Übernachtungsplätze für acht Wanderer, und in der Ecke stand ein Telefon, das allerdings nicht funktionierte. Im Gästebuch steckte ein Zettel, auf dem jemand notiert hatte: Telefon wegen wiederholter mutwilliger Beschädigung abgeschaltet. PS.: VERDAMMTE SCHEISSKERLE!

Der Ofen aus Natursteinen zog wunderbar, denn draußen herrschte weiterhin Sturm. Nach ein paar Stunden war es in der Hütte schon richtig gemütlich. Hermanni machte im Kessel Wasser heiß und half Lena Lundmark, sich auszuziehen und zu waschen. Als die blutigen Schrammen in ihrem Gesicht gesäubert waren, zeigte sich, dass sie blendend aussah. Dasselbe konnte man von der Figur sagen. Die Beckengegend war allerdings geschwollen, und das linke Bein ließ sich nicht drehen oder bewegen. Hermanni hatte außerdem den Eindruck, dass es kürzer war als das rechte. Vielleicht war die Hüfte ausgerenkt? Er half Lena wieder in ihre Nerzkluft.

Zum Inventar gehörte ein kleiner Erste-Hilfe-Kasten, der Schmerztabletten, Verbandsmull und anderes Notwendige enthielt. Die Mäuse hatten zwar einen Teil der Pflaster aufgefressen, aber nicht alle. Nun war getan, was möglich war, und es galt, auf das Abflauen des Sturms zu warten.

Hermanni müsste wohl irgendein Gerät zum Ziehen bauen, um Lena aufs Festland und anschließend ins Krankenhaus zu schaffen, wenn nicht zufällig jemand mit dem Motorschlitten vorbeikäme. Die Gondel des Heißluftballons ließe sich sicherlich irgendwie dazu nutzen, man müsste sie nur mit Kufen versehen, sagte er sich. Die Tortur, Lena Lundmark meilenweit auf den Armen zu tragen, wollte er sich dann doch lieber ersparen, dazu war ihm die Frau einfach zu groß.

Eine andere Möglichkeit kam ihm in den Sinn. Wie wäre es, wenn er eines der vorhandenen Seile unter den Achseln der Patientin hindurchführen würde, sie dann mit dem Kopf in Fahrtrichtung aufs Eis legte und zöge wie einen Rutschschlitten? Die Schlaufe des Seils könnte er, ohne dass sie einschnitt, unter den Brüsten befestigen. Das Nerzfell war bestimmt schön glatt und als Gleitunterlage bestens geeignet. Hermanni trat näher heran und streichelte von hinten die Nerzhose, um zu prüfen, wie die Fellhaare standen. Mit dem Strich, glücklicherweise.

»Was grapschen Sie da herum?«, rief die Patientin gereizt, als sie merkte, dass Hermanni ihr über den Hintern strich. Er lief rot an.

»'tschuldigung.«

Hermanni sah sich genötigt zu erklären, dass es sich um eine harmlose Überprüfung handelte.

»Ich wollte nur mal sehen, in welche Richtung die Haare auf Ihrem Hintern stehen.«

Auch die Erklärung musste erklärt werden, ehe das Vertrauen zwischen Patientin und Retter wiederhergestellt war.

Einer feinen Dame konnte man wohl nicht gut Erbsensuppe aus der Dose anbieten, aber Hermanni hatte ja seine Angelausbeute, den großen Saibling. Er säuberte, filetierte und salzte ihn, dann schnitt er mehrere Portionsstücke ab, tat ein paar Zwiebeln und einige Messerstiche Butter hinzu und schob alles in den Ofen. Als der Fisch eine Stunde später gar war, langten Lena und Hermanni tüchtig zu. Lena erklärte, dass sie schon seit Langem keine so herrliche Mahlzeit mehr genossen habe.

Anschließend legten sie sich nieder und schliefen bis zum frühen Morgen. Inzwischen ließ der Sturm nach. Irgendwann gegen sechs Uhr in der Frühe fuhr ein Motorschlitten vor, und herein marschierten zwei junge Männer in Windanzügen. Hermanni kochte Kaffee und servierte Brote, die er mit ein paar Scheiben vom gebratenen Fisch belegte. Die jungen Männer schnippten Bierdosen auf und verkündeten großspurig, dass sie ein Konzert geben wollten, sofern Interesse bestand. Sie erzählten, dass sie Künstler aus Forssa, Musiker von einigem Format seien. Sie hatten Urlaub genommen und waren in die nördliche Einöde gekommen, um zu üben. Darüber hinaus versprachen sie sich hier in der Stille der Wildmark jede Menge Inspiration. Sie beabsichtigten, am nächsten Tangofestival in Seinäjoki teilzunehmen, erwarteten dort ein gutes Abschneiden und also Ruhm und einen Haufen Geld.

»Wobei es uns nicht so sehr ums Geld geht, in der Kunst ist die Demut das Wichtigste.«

Hermanni Heiskari bat sie freundlich, Lena Lundmark mit ihrem Motorschlitten aufs Festland zu bringen, denn die Schwedin sei mit dem Heißluftballon auf dem Eis des Sees notgelandet und habe sich dabei ernsthaft verletzt. Die jungen Männer glaubten die fantastische Geschichte nicht im Geringsten, versprachen aber trotzdem zu helfen. Sie erklärten, der Sturm habe die Fahrspur auf dem See verweht. Vielleicht könnten sie die Tour am nächsten Morgen machen?

Damit galt es sich abzufinden. Nachdem die beiden ihr Frühstück verzehrt und das erste Bier intus hatten, begannen sie mit einem infernalischen Tangokonzert. Der Ältere der beiden, Taneli Lankinen, holte von draußen aus seinem Gepäck ein Akkordeon, und der Jüngere, Juhani Ruskoaava, räusperte sich gründlich. Dann ging es los.

»Märchenland«, »Tango auf dem Meer«, »Nur Sand«, »Tango Pelargonia«, »Silberner Mond« …, pausenlos wurden Lena und Hermanni mit diesen immergrünen Tanzmelodien beschallt, bis zum Abend und, damit nicht genug, auch noch die ganze Nacht hindurch. Gelegentlich vergossen die Künstler sogar Tränen der Rührung, verbeugten sich und erwarteten Applaus. Lena Lundmark äußerte den Wunsch, das Tangotraining möge zur Nacht unterbrochen werden, aber das ließ das künstlerische Feuer nicht zu: »Tango auf dem Meer, er klingt und klingt und klingt …«

Erst in den frühen Morgenstunden fielen die Musikanten
für zwei Stunden in Schlaf, aber gleich nach dem Frühstück zückte Lankinen erneut das Instrument. Nach ein
paar Bier schallten wieder herzzerreißende Tangos durch
den Raum. Solist Ruskoaava machte einen tiefen, wackeli-
gen Diener vor der auf dem Feldbett ruhenden Lena Lundmark und forderte sie zum Tanz auf. Hermanni knurrte,
dass ihn das Ganze anstinke. Ruskoaava war beleidigt,
als die pelzbekleidete feine Dame seine Tanzkünste
nicht würdigte. Er ließ ein paar Stücke aus und schmoll-
te über die erlittene Abfuhr, aber nach einer Weile zog
ihn die Kunst erneut in ihren Bann. Jetzt kam das wehmütige Stück über den Inarisee an die Reihe: »Wie lang,
so tief …« Lankinen, der die Augen andächtig geschlossen hielt, gab sich seinem Spiel so ekstatisch hin, dass
er die Diskanttasten beschädigte, als das Instrument an
den Herd knallte. Lena Lundmark und Hermanni Heiskari waren zu Tode erschöpft und glaubten, jetzt endlich
Ruhe zu haben, aber vergebens. Taneli Lankinen förderte von irgendwo eine Mundharmonika zutage, die von
nun an den zum Tangokönig aufstrebenden Künstler
Juhani Ruskoaava beim Gejohle immer neuer Lieder be-
gleitete.

»Wir haben beschlossen, in dieser Woche zweitausend-
fünfhundert Tangos zu proben, koste es, was es wolle. Wir
haben sämtliche finnischen Tangos von 1924 an im Reper-
toire, dazu noch hundert aus anderen Ländern.«

Gegen Mittag erklärte Lena Lundmark, dass sie es nicht
länger aushalte, und sie bat Hermanni, etwas zu unternehmen, damit das Konzert enden möge. Der sommerliche
Schneesturm war abgeflaut, inzwischen schien bereits
die Sonne, aber durch die Hütte auf der Insel Kahkusaari

dröhnten weiterhin sentimentale Tangos, als gäbe es kein Morgen.

Während einer kurzen Pause erklärte Hermanni den Burschen draußen in strengem Ton, dass die Tangoproben seinetwegen bis zum Herbst fortdauern könnten, er selbst aber wolle sich jetzt den Motorschlitten ausleihen und die Patientin ins Gesundheitszentrum fahren. Er verlangte die Schlüssel und versprach, in zwei Tagen zurück zu sein und den Sänger und seinen Begleiter abzuholen.

»Kommt nicht infrage, dies ist ein Mietschlitten, bezahlt von unserem Geld, wir sind kein öffentlicher Verkehrsbetrieb«, teilte der Sänger mit. Das war zu viel für Hermanni Heiskari, er zog die dicke Angeljacke aus, krempelte die Ärmel hoch und donnerte:

»Los, kommt her!«

Diese unkünstlerische Wendung hatten die beiden Musiker wohl schon erwartet, denn sie nahmen die Beine in die Hand, schleppten ihre Taschen und Rucksäcke und das defekte Akkordeon in den Schlitten, starteten ihn und flohen blindlings in die Landschaft. Hermanni Heiskari war von dem ganzen Vorgehen so verblüfft, dass er die Flucht nicht verhindern konnte, obwohl er dem Schlitten fast einen Kilometer über das Eis hinterherlief. So verschwanden Tangosänger und Begleiter auf dem weiten Inarisee, und Hermanni konnte nichts dagegen tun.

Im Ort Inari angekommen, wandten sich die beiden Musiker an die Polizei und berichteten, dass sie in einer entlegenen Wanderhütte sonderbare Leute angetroffen hätten, die sich gewalttätig aufführten, Kleidung aus Nerzpelzen trugen, furchtbare Stimmen hatten und Unterkünfte, die der Allgemeinheit dienen sollten, für sich allein beanspruchten. Auch hatten sie versucht, armen Künstlern ihr einziges Fahrzeug zu stehlen. Zu allem Überfluss mimten sie die Kranken, unverschämt wie sie waren. Die Bevölkerung sollte sich vor ihnen in Acht nehmen.

Später stand in der Lokalzeitung eine kurze Meldung, in der es hieß, dass auf dem Inarisee grob gegen das Jedermannsrecht verstoßen worden sei. Die Vorgänge hatten somit derartige Ausmaße angenommen, dass ein Einschreiten der Behörden unbedingt erforderlich sei, damit der Bereich des Sees vor der Willkür von Leuten aus dem Süden geschützt würde. »Diese unfassbaren Rechtsverletzungen, die immer wieder und viel zu oft auf Kosten der örtlichen Bevölkerung begangen werden, dürfen nicht stillschweigend hingenommen werden.«

Zu Tode erschöpft wuschen sich Hermanni und Lena, aßen gesalzenen Fisch und gingen schlafen. Auf der Ecke des Herdes lag noch Tanelis Mundharmonika, die er beim eiligen Aufbruch vergessen hatte. Hermanni zerquetschte sie vor dem Schlafengehen in seiner Pranke, dass sie in tausend Stücke zerfiel.

3

Zwei Tage warteten die beiden in der Hütte auf Hilfe, die nicht kam. Das Wetter besserte sich, der Himmel wurde klar, die Sonne brannte und ließ die weite Fläche des Sees schwarz erscheinen. An den Ufern begann das Eis zu schmelzen, stellenweise war auf ein, zwei Meter schon offenes Wasser. Hermanni musste am Ufer einen langen Balken auslegen, um festes Eis erreichen und angeln zu können. Lena lag reglos in der Hütte und stöhnte nur manchmal vor Schmerz. Hermanni fing kleine Forellen, die er in Butter briet, aber die Patientin hatte keinen Appetit. Ihre Stirn fühlte sich heiß an.

Hermanni schleppte die Gondel des Heißluftballons vom Unglücksort herbei und baute sie zum Schlitten um. Auf dem Dachboden der Hütte fand er uralte und abgenutzte Skier, die immerhin noch als Kufen taugten. Vom Ballon waren zig Meter Seil übrig geblieben, sodass es keine Probleme machte, ein Zuggeschirr zusammenzuknüpfen. Zu guter Letzt stellte Hermanni seinen Angelhocker, der als Sitz dienen sollte, in die Gondel, das kranke Bein der Patientin wollte er mit einem Seil am Gondelrand festbinden.

Als drei Tage seit der Flucht des Tangosolisten und seines Begleiters vergangen waren, trug Hermanni Lena Lundmark nach draußen aufs Eis und setzte sie in die Gondel.

Er lud all sein Gepäck mit hinein, sein Angelzeug, den Proviant (Butter, Brot, Fisch, Salz, Zwiebeln), die Axt, den Rucksack, dann zog er den Schlitten an. Es war ein so herrlich klarer Morgen, dass dem Retter und der Patientin die Augen brannten. Am Himmel schrien die Gänse, und der Frühlingswind strich Hermanni sanft übers Gesicht, aber Lena hatte Fieber und klagte mit leiser Stimme.

Hermanni Heiskari packte mit festem Griff die Seile und setzte sich gen Inari in Marsch, nicht nach Ivalo, denn Inari war näher, bis ans Ziel waren es nur drei Meilen. Eine Weile überlegte er, ob er sich nach Nordosten, gen Partakko, wenden sollte, aber irgendwie gefiel ihm die Richtung nicht, außerdem waren es auch bis dort mehr als zwanzig Kilometer.

Die schwere Fuhre glitt sacht über das feuchte Eis. Hermanni sagte sich, dass diese Rettungsaktion im wahrsten Sinne des Wortes vollen Körpereinsatz verlangte. Die Schwedenpatientin saß still im Korb und klagte nicht mehr, ihr fehlte die Kraft.

Hermanni Heiskari zog den Schlitten bis zur Südwestspitze der Insel Viimassaari, dann wandte er sich nach Westen zu den Hopiakivi-Inseln, kleinen felsigen Klippen, wo er frischen Fisch zum Mittagessen angelte. Fünf Kilometer hatte er mit dem Schlitten jetzt zurückgelegt. Bald biss die erste kleine Rotforelle an. Als Hermanni ein halbes Dutzend Exemplare beisammenhatte, ging er zur zwei Kilometer entfernten Insel Hirvassaari, um eine dünne Kiefer zu fällen. Er zerkleinerte sie auf dem Eis und machte Feuer, dann setzte er Kaffeewasser auf, und in der Wartezeit filetierte er die Fische. Er schnitt aus dem Baumstamm ein flaches Stück Holz heraus, spießte die Fische mit kleinen Stöckchen drauf und ließ sie so am Feuer garen. Kein übler

Imbiss auf der Wanderung, aber Lena Lundmark hatte
Schmerzen und musste gefüttert werden wie ein kleiner
Vogel. Häppchen für Häppchen reichte Hermanni ihr auf
der Messerspitze.

Um sie zu trösten, erzählte er ihr von den schlimmen
Momenten seines eigenen Lebens. Er hoffte, dass sie auf
diese Weise auf andere Gedanken kommen würde und
ihre Schmerzen für eine Weile vergäße. Ein leidender
Mensch gewinnt Trost aus den noch schlimmeren Prüfun-
gen, durch die ein anderer gegangen ist.

»Ich war wohl vierzehn damals, als wir draußen am Sota-
joki Rundhölzer schälten. Es war Frühjahr, der Schnee lag
noch einen Meter hoch und der Holzstapel war komplett
vereist. Mit dem Brecheisen rissen wir uns die Hölzer
herunter, je nachdem, wie wir sie brauchten. Na gut. Eines
Abends war der verfluchte Stapel, der immerhin mehr als
drei Meter Höhe hatte, ein bisschen abgetaut, und als ich
neue Hölzer herausriss, donnerte die ganze verdammte
Vorderfront auf mich armen Bengel herunter. Ich war bis
zum Hals zugedeckt, bloß der Kopf war zum Glück frei,
sodass ich schreien konnte. Und das tat ich dann auch!«

Hermanni rief zur Illustration um Hilfe. Er brüllte so qual-
voll und mit so weittragender Stimme, dass der ganze riesige See widerhallte, von den Ufern kam das Echo zurück,
die von Todesnot kündenden Hilferufe des wackeren
Holzfällers kreuzten hin und her, dass Lena Lundmark
erschauerte.

Hermanni erzählte, dass er den ganzen restlichen Tag und
auch noch die Nacht hindurch geschrien hatte, aber erst
in den frühen Morgenstunden hatte im acht Kilometer
entfernten Camp einer der Männer erstaunt gefragt, wo
eigentlich der Hermanni abgeblieben sei. Als dann alle

zusammen nach draußen gegangen waren, hatten sie ein lautes Jaulen gehört, wie von einem Fuchs, der in die Falle geraten war.

»Na, schließlich retteten sie mich, inzwischen war es schon sieben Uhr abends. Sie rissen die Hölzer von mir runter, zogen mich nackt aus und massierten mich mindestens eine Stunde lang, bis mein Blut wieder pulsierte. Drei Tage lag ich flach, ehe ich mich wieder an die Arbeit wagte.«

»Wie schrecklich!«

»In jener Woche fiel mein Lohn um die Hälfte kleiner aus.«

Hermanni erzählte noch weitere wahre Geschichten, ein paar deftige vom Schmucken Jussi und schließlich eine Jagdstory aus seiner eigenen Familie. Hermannis Großvater war eines Tages auf der Bärenjagd in Salla in seine eigene Falle geraten. Er versuchte, das Eisen mit beiden Händen aufzubiegen, aber dafür reichte die Kraft eines einzelnen Mannes nicht aus.

»Der Alte biss seinen eigenen Fuß ab und spuckte die Knochensplitter in den Schnee. Er verlor gut zehn Liter Blut, der Schnee färbte sich rot, als er die zwanzig Kilometer nach Hause kroch.«

Während Hermanni der Patientin eine Forelle in heißer Butter reichte, fügte er noch hinzu:

»Später war der Großvater jedes Mal froh, dass er bloß noch einen Ski zu teeren brauchte. Das ist eine enorme Ersparnis für einen armen Schlucker.«

Hermanni ergänzte, dass im Testament des Großvaters zwanzig Holzfüße und mindestens dreißig unbenutzte rechte Schuhe verzeichnet gewesen waren, inbegriffen Filzpantoffeln, Gummi- und Lederstiefel. Alle Exemplare neuwertig, aber einzeln für einen Zweibeiner wertlos.

Diese Geschichten linderten Lena Lundmarks Qualen ungemein, sogar das Essen begann ihr wieder zu schmecken. Sie seufzte, dass sie gar nicht gewusst hatte, wie hart das Leben im Norden bisweilen für die Menschen sein konnte.

»Wie es für die Menschen ist, weiß ich nicht, aber für uns fliegende Waldarbeiter ist es manchmal ziemlich hart.«

»Sie sind demzufolge gar nicht wirklich Flieger, also Flugkapitän, Steward oder so etwas?«

»Geflogen bin ich höchstens mal aus der Kneipe.«

Unter solcherlei Geplauder verging der Tag. Um diese Zeit wurde auf Anordnung der Behörden die Suche im skandinavischen Luftraum, über dem Süden Schwedens, Norwegens und Finnlands, eingestellt: Der Heißluftballon, der einen Medienflug für das Rote Kreuz absolviert hatte, war nicht gefunden worden. Die Juristen der åländischen Lundmark-Reederei und des Speditionsunternehmens, das ebenfalls Lena Lundmark gehörte, versammelten sich, um zu besprechen, wie sie die Anteile der Hauptaktionärin an die Erben verteilen könnten, ohne dass sich der Staat in Form der Steuer ein zu großes Stück vom Kuchen abschnitt.

4

Am Nachmittag wandte sich Hermanni mit seiner Fuhre gen Süden, denn am Nordufer der Insel Leviän Petäjäsaari standen gleich zwei Hütten, Loimu und Rauta. Die erste wollte er zur Nacht erreichen. Eigentlich war es auch egal, um welche Zeit er auf die Insel gelangte, denn der Sommer war so weit fortgeschritten, dass es gar keine Nacht gab, die Sonne ging nicht mehr unter.

Überall auf den Inseln sangen die kleinen Vögel, die ganze Welt war gleichsam erfüllt von ihrem Gezwitscher, und das schmelzende Eis an den Ufern klirrte und klingelte dazu wie tausend Silberglöckchen. Das Eis wurde unter der sengenden Sonne matschig und dunkel. Aber draußen auf dem See würde es noch tragen, das zumindest nahm Hermanni an. An den Ufern musste er höllisch aufpassen, und manchmal dauerte es eine Weile, bis er die geeignete Stelle fand, um seinen Korbschlitten hinüberzuziehen. Einige Male musste er durchs Wasser waten und Lena Lundmark auf den Armen ans Ufer tragen, ehe er den Schlitten vom Eis auf festen Boden ziehen konnte.

Auf der eintönigen Wegstrecke von Insel zu Insel erklärte er Lena Lundmark, was es mit der Bezeichnung fliegender Geselle auf sich hatte. Einst, als es in Lappland noch manuellen Holzeinschlag in großem Stil gab, verdingten sich Waldarbeiter zum Bäumefällen, und sie wurden fliegende Gesellen genannt. Der Berufsstand bekam hier oben im Norden eine gewisse Aura, und auch heute noch wurden diese Männer nicht mit den Strolchen oder üblen Gesellen aus den Städten in einem Atemzug genannt. Viele dieser Holzfäller besaßen keine Familie und auch sonst keine Angehörigen, hatten also kein Heim und auch keine Heimatgemeinde, waren nirgends gemeldet. Ihr ganzer Besitz passte in den Rucksack, und manchmal kam auch der noch abhanden. Die Männer zogen herum, wechselten von einem Holzplatz zum anderen, fuhren gelegentlich nach Kemijärvi oder Rovaniemi, um das verdiente Geld zu verjubeln, und kehrten immer wieder zurück, um die finsteren Wälder einzuschlagen. Es war auf gewisse Weise ein Leben voller fliegender Wechsel, daher der Name.

»Hab selber auch an tausend verschiedenen Orten gewohnt und mehr als genug Fliegerei gehabt in meinem Leben.«

»Heißt das, dass Sie auch heute noch kein eigenes Heim haben?«

»Tja, eigentlich nicht.«

Hermanni erzählte, dass er in einer kleinen Saunahütte am künstlichen See von Porttipahta wohnte, die er vom Kraftwerkskonzern gemietet hatte.

»Hab dort mein Angelrevier, aber jetzt wollte ich mal hier im Inarisee mein Glück versuchen. Als fliegender Geselle hat man keine Familie, kann wegfahren, wann es einem passt.«

Hermanni war schon mehrfach am Inari gewesen, kannte den See gut. Eigentlich kannte er in Lappland jeden Winkel, hatte auch Helsinki und einmal sogar das Ausland besucht.

Lena Lundmark betrachtete sinnend den Rücken des

Mannes, der da vor ihr ging. Hermanni Heiskari stapfte in langen Schritten gleichmäßig dahin, das Seil hatte er sich über die Schulter geworfen, seine Haltung war gebeugt. Da trabte ein einfacher Mann aus den tiefen Wäldern, ein bitterarmer Kerl, und im Schlitten saß eine reiche Frau, eine Multimillionärin. Lena bekam Mitleid mit ihrem Zugpferd. So standen die Dinge nun mal in dieser Welt, der Arme zog und der Reiche ließ sich ziehen. Immer.

Auch Hermanni vorn in den Seilen dachte über sein Los nach. Hier zog er, ein freier und lediger Mann, die herrschaftliche Dame wie ein Sklave, ein ungehobelter, nichtswürdiger Bursche, elend und mittellos. Wenn es in Finnland zum Aufstand käme, würde er, Hermanni, allerdings gewiss nicht als Pferd schuften, sondern würde mit dem Sturmgewehr den herrschaftlichen Industriesanierern den Marsch blasen. Schon seit Jahren sann Hermanni auf Rache und probte in Gedanken den Aufstand. Er hatte viele seiner Gedanken zu Papier gebracht, in aller Heimlichkeit und Stille. Und er wusste, dass er nicht allein, sondern Mitglied einer trostlosen Armee von fast einer halben Million Arbeitslosen war.

Bei diesen bitteren Gedanken blieb Hermanni stehen und drehte sich zu seiner Fuhre um. Sein verhärtetes Gemüt schmolz. Auf dem Angelhocker in der Gondel des Heißluftballons saß eine schöne Frau, die Schmerzen hatte, diese aber tapfer zu verbergen versuchte. Eine Frau, die auf eigene Kosten und bei Sturmwind eine abenteuerliche Fahrt antrat, um den Katastrophenfonds des Roten Kreuzes zu unterstützen.

»Eigenartig, dass die kleinen Vögel singen, obwohl der See noch vereist ist. Frieren sie nicht?«

»Im Wald, wo sie nisten, ist's warm.«

Als Hermanni die Insel Petäjäsaari erreichte, wechselte er die Position und stellte sich hinter den Schlitten, um ihn zu schieben. Falls sie auf dünnes Eis gerieten, bestünde, wenn er zog, die Gefahr, dass er einbrach. Beim Schieben könnte er sich und auch noch den Schlitten retten. Sie gelangten jedoch heil ans Ziel. Hermanni heizte die Hütte, machte Essen und verabreichte der Patientin die restlichen Schmerztabletten, die er aus der Hütte von Kahkusaari mitgebracht hatte.

Bevor Lena Lundmark einschlief, flüsterte sie Hermanni ein Versprechen zu. Sollte sie diesen Ausflug überleben, würde sie ihren Helfer so fürstlich belohnen, wie er es sich gar nicht vorstellen könnte.

»Ach, was heißt hier Helfer, ich hab ja lieber eine Frau bei mir, als dass ich hier auf dem See allein bin.«

Am nächsten Morgen zog Hermanni den Korbschlitten in eine neue Richtung, diesmal nach Westen. Er beabsichtigte, bis Mittag die Suovasaari-Inseln zu erreichen, denn er erinnerte sich, dass es dort trockenes Brennholz und eine überdachte Kochstelle gab. Die Entfernung betrug etwa fünf Kilometer, und das passte. Und von den Klippen aus könnte er versuchen zu angeln.

Hermanni erzählte, wie die Suovasaaret, die »Schoberinseln«, ihren Namen bekommen hatten. Die Lappländer pflegten früher auf den Uferwiesen Heu zu machen, und da keine Scheune vorhanden war, schoberten sie es auf, um es dann im Winter mit dem Rentiergespann abzuholen und als Futter für ihre Kühe zu verwenden. Einmal hatte wieder ein alter Lappe auf einer der Inseln, eben auf dieser, einen Schober errichtet, und der war so groß und stattlich ausgefallen, dass sich im Frühling ein Seeadlerpärchen darauf niedergelassen hatte, um zu nisten. Die Vögel hatten sich oben auf der Spitze ein gewaltiges Reisigschloss gebaut, und das Weibchen brütete gerade, als der Alte mit seinen Rentieren kam, um das Heu abzuholen.

»Der Kerl musste ganz schnell Reißaus nehmen, weil die Adler nämlich die Rentiere angriffen, kann man sich ja denken, brütende Seeadler! Das Gespann galoppierte, ohne anzuhalten, bis zum Ukonkivi, und da musste der Alte den Göttern erst viele Opfer bringen, ehe er die Weiterfahrt nach Hause riskierte.«

»Was wurde aus dem Heu?«

»Kein Mensch wagte es dort wegzuholen. Es blieb liegen, und im Herbst kam ein Bär, kroch in den Schober hinein und baute sich seine Höhle. Im nächsten Frühjahr war unten eine Bärenhöhle, und oben auf der Spitze ein Seeadlernest.«

»Und das Heu eignete sich dann vermutlich nicht mehr für die Kühe?«

»Welche Kuh frisst schon altes Heu, das von Adlern bekackt und vom Bären zerwühlt worden ist ..., ein enormer Schaden für einen armen Lappländer.«

5

Auf den Suovasaari-Inseln stand zu Lenas Enttäuschung kein einziger Heuschober mehr. Aber es gab eine Kochstelle und Brennholz, und dorthin zog Hermanni seine Fracht, trug die Patientin ans lodernde Feuer und machte Essen. Und während Lena schlief, ging er Fische fangen. Er beabsichtigte, die Wanderung erst abends fortzusetzen, wenn die Sonne tiefer stand und es kälter wurde, sodass der Matsch auf dem Eis überfror und der Schlitten besser glitt. Und wieder holte er Saiblinge herauf, gut zehn Stück, es waren muntere Burschen von je einem halben Kilo Gewicht. Fürs Essen war vorerst gesorgt, dachte Hermanni zufrieden. Zu später Stunde erwachte Lena Lundmark und erkundigte sich, ob es Abend oder Morgen war.

»Wir haben schon Nacht, und ich will Madame nachher noch bis aufs Festland ziehen.«

Hermanni hatte geplant, nach Südsüdwest zu wandern, zur fünf Kilometer entfernten Landzunge Kankiniemi. Soweit er sich erinnerte, begann dort eine feste Straße, auf der sie ins Gesundheitszentrum von Ivalo gelangen konnten, mit ein wenig Glück wäre auf der Straße vielleicht sogar ein Auto unterwegs. Die andere Alternative war, den Korbschlitten über eine Strecke von zwei Meilen, am Ukonkivi vorbei, in die Ortschaft Inari zu ziehen, von wo man natürlich mit dem Auto nach Ivalo gelangen konnte.

Lena Lundmark erkundigte sich, ob der Ukonkivi eben jene Felsinsel war, die die Lappländer seinerzeit als Opferstätte benutzt hatten. Davon hatte sie als Kind in der Schule gehört.

»Genau die.«

»Oh, nehmen wir doch jenen Weg!«

Sie schlug vor, auf der Insel irgendetwas zu opfern, vielleicht würde es ihnen helfen. Hermanni willigte ein:

»Na gut, meinetwegen.«

Hermanni schlang sich das Seil um die Schulter und wandte sich nach Nordwesten. Er umwanderte die Käyränokka-Inseln und gelangte erst in den frühen Morgenstunden zum fünf Kilometer entfernten Ukonkivi. Auch dies war eine schwere Wegstrecke gewesen, aber die härtere Prüfung stand ihm noch bevor, denn Lena Lundmark wollte unbedingt auf die Spitze des hohen Felsens. Hermanni erbot sich, in die Opferhöhle, die seitlich lag, hinaufzuklettern und dort die erforderlichen Opfer darzubringen, Dinge aus seinem Rucksack, etwa Zwiebeln und einen Fischkopf, womit die Sache erledigt wäre. Aber Lena gab nicht nach, sondern bat und bettelte. Hermanni war es schließlich leid, er nahm sie huckepack und erklomm den Dutzende Meter hohen Felsen. Ein angenehmer Duft wehte ihm in die Nase. Die Schwedin hatte es nicht mal in der höchsten Not fertiggebracht, ihr Parfüm über Bord zu werfen. Andererseits, die paar Tropfen Damenduft hätten den großen Ballon auch nicht wesentlich leichter gemacht.

Obwohl die Last gut duftete, wog sie doch so schwer, dass Hermanni sie auf halbem Wege absetzen und eine Zigarettenpause machen musste.

»Sie haben eine tolle Kondition«, lobte ihn die Patientin.

»Mir fällt da gerade ein Mönch aus dem Kloster Petsamo

ein, der sein ganzes Leben lang den Sündenhügel aufschütten musste. Der arme Bursche hatte wahrlich sein Kreuz zu tragen.«

Hermanni erzählte Einzelheiten. Der Mönch hatte als junger Mann eine ebenfalls junge Frau, eine Norwegerin, die in der Fischmehlfabrik arbeitete, in seine Zelle gelockt, mehrere Nächte lang. Aber dann war alles herausgekommen, und der Abt hatte über den triebhaften Mönch ein schreckliches Urteil verhängt. Um Vergebung zu erlangen, musste er von Stund an bis an sein Lebensende eine Sündenlast tragen. In der Praxis sah das so aus, dass dem Mönch hinter dem Kuhstall des Klosters ein großes Gelände zugewiesen wurde. Dort sollte er Säcke mit Erde füllen, sie anschließend zum Feldrain tragen und zu einem Hügel aufschütten. Jeden Tag schleppte der arme Mönch zehn oder sogar fünfzehn Säcke mit Erde zum Bestimmungsort, wo der Hügel im Laufe der Zeit immer weiter in die Höhe wuchs. Doch die Zwangsarbeit wurde dadurch nicht leichter, im Gegenteil, je älter der Mönch wurde, desto höher ragte der Hügel auf und desto mehr Anstrengung kostete es, die mit Erde gefüllten Säcke hinaufzuschleppen. Aber was tut ein frommer Mensch nicht alles, um Vergebung zu erlangen! Als der bedauernswerte Mönch schließlich starb, war der einstige Hügel schon ein großer Berg, vielleicht nicht ganz so hoch wie der Ukonkivi, aber immerhin doch von solchen Ausmaßen, dass die Touristen ihn bestaunten und fotografierten.

»Im Winterkrieg wurde das Kloster niedergebrannt, und russische Panzer fuhren auch über den Sündenhügel hinweg, später gruben die Russen Unterstände hinein, denn die Erde dort war weich, während ansonsten in Petsamo steiniger Boden vorherrscht, an manchen Stellen in der Küstenregion am Eismeer gibt es sogar nur blanke Felsen.«

Hermanni wusste außerdem, dass die Russen geplant hatten, an den Hängen des Sündenhügels Kohl anzubauen, diesen Plan aber nicht mehr in die Tat umsetzen konnten. Im Fortsetzungskrieg wurde Petsamo zurückerobert, und deutsche Besatzer ließen sich dort nieder. Sie verteilten die vom Mönch herangeschleppte Sühneerde im Gemüsegarten vor ihrem Stabsgebäude, und dem Vernehmen nach gediehen in dieser von Qual, Schweiß und Reue getränkten Erde viele seltene Pflanzen, sogar die blaue Weintraube, was als ganz große Ausnahme galt. Und nach dem Krieg schließlich, als Petsamo erneut den Besitzer wechselte, legte die Kolchose vom Nickelbergwerk Petschenga in jener Mönchserde ein Kohlfeld an, so wie es die Russen nach dem Winterkrieg ursprünglich beabsichtigt hatten.

Von der Spitze des Ukonkivi bot sich nach allen Richtungen ein prachtvoller Ausblick. Die Sommernacht war blaunebelig, die aufgehende Sonne färbte den nordöstlichen Horizont rot, die Natur ruhte still da, und auf dem ganzen weiten Inarisee war kein einziges menschliches Wesen unterwegs.

»Jetzt will ich den alten lappländischen Göttern mein Opfer bringen!«

Hermanni vermutete, dass sich die Opferstätte in jener Höhle befand, die am steilen Osthang der Felsinsel lag. Dorthin zu gelangen kostete große Mühe, die Felswand war infolge des Nachtfrostes sehr rutschig. Und natürlich passierte das Unglück: Lena Lundmark glitt ihm aus den Händen und in rasantem Tempo in eine Felsspalte hinein. Für die Frage, ob es sich dabei um die einstige Opferhöhle handelte, war jetzt keine Zeit. Bei Lenas Sturz blieb der Saum ihrer Nerzhose an einer trockenen Kiefernwurzel hängen und riss so heftig am kranken Bein, dass sich die Hüfte wieder einrenkte. Hermanni hörte ihren Schrei vom Grund der Schlucht. Er befürchtete das Schlimmste und bereute, dass er sich auf die Kletterpartie eingelassen hatte, noch dazu mitten in der Nacht.

»Mein Bein ist wieder in Ordnung! Ist es nicht herrlich, Hermanni?«

Tatsächlich! Lena konnte ohne Schmerzen ihr Bein bewegen. Hermanni hangelte sich zu ihr hinunter und fand sie tief drinnen in der Höhle, wo sie Parfüm auf die Felswände spritzte. Die ganze Höhle roch wie der Garten Eden. Die Frau opferte das Beste, was sie bei sich hatte. Auf der Flasche stand: Jean-Paul Guerlain, Champs-Elysées.

Hermanni dachte bei sich, dass die einheimischen Geister wohl erst ein wenig husten würden, wenn sie diesen teuren Opferduft wahrnahmen, aber auch an den würden sie sich vermutlich gewöhnen. Auf jeden Fall war der Geruch angenehmer als der von faulen Fischköpfen oder von madigen Rentierschädeln. Wie auch immer, die Götter hatten gehandelt und den seit Tagen ausgerenkten Oberschenkelknochen wieder zurechtgerückt. Die sachkundige Hand eines Trolls hatte den Hintern der Frau genau an die richtige Stelle gelenkt. Parapsychologische Naturheilkunde.

Lena Lundmark umarmte und drückte Hermanni mit ihrer ganzen Kraft. Das war fremd für den Waldburschen und verwirrte ihn, aber es tat ihm gut, nach all der Schinderei der letzten Tage eine solche Anerkennung zu bekommen. Der Kuss war wie eine Mundflamme! Hermanni, der ihn durch seine Bartstoppeln hindurch empfing, interpretierte ihn als Freundschaftsangebot.

»Ist ja prima, dass alles wieder an Ort und Stelle ist.«

6

Einen Kilometer vom Ukonkivi Nordnordwest lag die
etwas größere Hautuumaasaari, die Friedhofsinsel. Der
Teil des Ufers, der zum offenen See hin lag, war seinerzeit
terrassenförmig abgestuft worden, denn Eis und Wasser-
regulierung sowie hässliche Stürme hatten dem Sandstrand
so zugesetzt, dass sich die alten Gräber geöffnet hatten und
die Knochen zum Vorschein gekommen waren.

»Irgendjemand hat erzählt, dass man dort zu den besten
Zeiten unten am Wasser tausend Schädel und mehrere Kubikmeter Gebeine sehen konnte. Bei rauem Wetter,
wenn der Wind durch sie hindurchpfiff, heulten die Schädel mit furchterregenden Stimmen. Es ist ungefähr dasselbe Geräusch, als wenn man in eine leere Weinflasche bläst.
Nur dass die Schädel kein Etikett haben.«

Lena Lundmark glaubte natürlich keineswegs alles, was
Hermanni erzählte. Sie grübelte darüber nach, warum
er wie vermutlich alle fliegenden Gesellen so schrecklich
übertrieb oder einfach log. Es war eben diese Art, dem
anderen direkt ins Gesicht zu lügen, die ihr besonders
auffiel. Es war eben nicht die Art der Finnlandschweden,
die nur durch die Blume logen, so wie es sich auch gehörte. Manchmal schien es, als machte es Hermanni geradezu Spaß. Diese sonderbare Gewohnheit war vielleicht
auf die bedauernswerte Armut dieser Männer zurück-

zuführen: Sie hatten keine andere Freude im Leben, als Unsinn zu reden. Sollte sie, Lena, sich je für solch einen Burschen entscheiden, ihn womöglich heiraten, müsste sie ihn zunächst zähmen, ihm bessere Manieren beibringen. Ihr wurde ganz heiß bei der Vorstellung, dass sie sich Hermanni Heiskaris Übertreibungen und seinen komischen Dialekt auf Cocktailempfängen anhören müsste, wo immer auch Leute anwesend waren, die Finnisch verstanden. Gleich darauf ärgerte sie sich, dass ihr diese blöden Gedanken gekommen waren.

Sie erkundigte sich, ob die Toten auf der Friedhofsinsel provisorisch begraben worden waren, denn das hatte es in entlegenen Gegenden vermutlich gegeben, wenn der Trauerzug etwa während der Schneeschmelze nicht zum eigentlichen Friedhof bei der Kirche hatte durchdringen können. Hermanni erklärte, dass dies hier ein richtiger Friedhof gewesen war, auch wenn er sich auf einer Insel befunden hatte. Der Sandboden hatte sich für den Zweck besser geeignet als die steinigen Uferwälder.

Hermanni half Lena vom Ukonkivi herunter. Obwohl ihr Hüftknochen wieder eingerenkt war, war ihre Beckengegend immer noch geschwollen und gereizt, sodass sie weiterhin im Korbschlitten sitzen musste. Hermanni legte sich in bewährter Weise ins Geschirr. Er beabsichtigte, jetzt direkt die Ortschaft Inari anzusteuern, aber auf halber Strecke tat sich vor ihm offenes Fahrwasser auf, wahrscheinlich aus einer Eisspalte entstanden, sodass er sich nach Süden wenden musste.

»Das hier sind die Tissikivisaaret, die Tittensteininseln«, klärte er Lena auf, als sie an einer fast zwei Kilometer langen Insel vorbeikamen.

»Ja, natürlich.«

Hermanni erwähnte, dass der Schmucke Jussi seinerzeit mit einem Lappenmädchen hier entlanggerudert war. Sie hatten zwei Tage auf der Insel verweilt, und das hatte zu dem Namen geführt.

Durch die Tittensteininseln gelangten sie auf die Halbinsel am Salanuora-Sund, wo sie eine Pause machten.

»Hier auf dem Inarisee heißen die Dinger Schnur statt Sund.«

Es wurde bereits Morgen, und beide Wanderer waren schrecklich müde. Die Sonne wärmte jedoch bereits so stark, dass sie ihren Weg fortsetzen mussten. Hermanni vermutete, dass das Eis schmelzen würde, sowie Wind aufkäme, denn die letzten Tage waren recht warm gewesen. Er zog seine Fuhre in den nächsten Fjord, balancierte über die Steine ans Ufer und zog anschließend die Gondel mit Lena Lundmark darin ebenfalls hinüber. An dieser Stelle war ein Haufen alter morscher Balken zu einer Art Kai aufgeschichtet. Hermanni zeigte auf das Gebilde und sagte, dass hier während des Krieges ein Sammelplatz für Baumstämme gewesen war. Man hatte Pferde oder Maultiere eingesetzt, um die abgeholzten Stämme an den See zu ziehen. Die Deutschen hatten hier ein Gefangenenlager unterhalten. Während des Zweiten Weltkriegs hatte es insgesamt sechs Lager rings um den Inarisee gegeben, jeweils mit dreihundert Insassen. Zunächst hatten russische Kriegsgefangene als Arbeitskräfte gedient, aber als sie tot und keine neuen in Aussicht gewesen waren, hatte man Arbeitspflichtige der Organisation *Todt* herangeschafft. Es war gnadenlos zugegangen, so wie generell in allen Gefangenenlagern der Deutschen.

Hermanni führte Lena Lundmark am Arm höher hinauf ins Gelände, wo dünner, niedriger Fichtenwald wuchs. Hier

hatten die Ställe der Pferde gestanden, die auf den Rodungs-
plätzen arbeiteten. Übrig geblieben war ein weites Gelände,
auf dem die alten Gebäude vor sich hin faulten. Sie waren
schon vor Zeiten verfallen, und die Dächer waren einge-
stürzt, aber die Ruinen vermittelten noch einen guten
Gesamteindruck. Der nächststehende Stall war, in Schritten
gemessen, zweihundert Meter lang. Hermanni vermutete,
dass dort dreihundert Tiere gehalten worden waren.

»Die Deutschen hatten vorgehabt, die Kiefernwälder hier
an den Ufern des Inarisees komplett abzuholzen.«

Lena Lundmark fragte verwundert, auf welche Weise
die Deutschen all die Hölzer nach Berlin hatten schaffen
wollen, denn dort hatten sie sie ja vermutlich gebraucht.

»In Berlin eher nicht, aber in Norwegen und Petsamo, und
wohl auch in den afrikanischen Wüsten. Angreifende
Armeen brauchen Brückenbalken und Grubenholz.«

Hermanni deutete auf die Seitenwand des eingestürzten
Stallgebäudes. Die Balken standen aufrecht, anders als bei
finnischen Blockhäusern, wo die Wände aus waagerechten
Balken gezimmert werden. Die Deutschen hatten offenbar
nicht viel von der Holzbauweise verstanden.

Die Rodungsplätze der Deutschen waren Teil eines groß
angelegten Plans gewesen. Hermanni erzählte, dass die
Baumstämme von all den Plätzen rings um den See zur
Mündung des Paatsjoki geschafft und dann nach Petsamo
und zum Eismeer geflößt werden sollten, wenn der Ein-
schlag erst mal in vollem Gange gewesen wäre. Dort wären
sie zersägt, auf Schiffe geladen und anschließend zu den
Kriegsschauplätzen überall in Europa und Afrika transportiert worden. Sogar die japanischen Besatzungstruppen
auf den Inseln des Stillen Ozeans sollten Holz vom Inarisee bekommen. Zusammenarbeit der Achsenmächte.

»Die alten Leute erzählen, dass die Deutschen irgendwann im Herbst, es war wohl 1941 oder 1942, zahlreiche Maultiere über Norwegen zum Inarisee schafften, wo sie als Zugtiere beim Holzeinschlag dienen sollten. Nun, eines Tages kam wieder mal ein Transport an, und die Tiere wurden im Kirchdorf auf eine Fähre geladen, die sie auf die einzelnen Lager verteilen sollte. Diese Fähren hatten ungarische Kovács-Schnellbootmotoren. Dreihundert Mulis mussten verschifft werden.«

Die Tiere waren zunächst von der Ortschaft Inari zur vierzig Kilometer entfernten Akusaari-Insel geschafft worden, diese liegt nahe des Festlandes am Nordwestufer des Sees. Drei, vier Mal war die Fähre voll beladen hingefahren, und man hatte die Tiere zunächst auf der Insel gelassen, weil ein Sturm aufgekommen war.

Bald hatte diese riesige Maultierherde das wenige Gras auf der Insel abgefressen. Da man die Tiere wegen des Sturms nicht weitertransportieren konnte, blieben sie sich selbst überlassen. Nach ein paar Tagen schwammen sie hungrig zum Festland.

»Der Sund ist ja an der schmalsten Stelle bloß drei-, vierhundert Meter breit, außerdem gibt es Steine im Wasser. Na, die Mulis schwammen also los und kletterten in Akuniemi an Land. War bestimmt hübsch anzusehen, als dreihundert hungrige Maultiere prustend aus dem Wasser kamen und sich alle auf einmal in den Wald verdrückten.«

»Ach du liebe Güte, was passierte danach mit den armen Tieren?«

»Sie verschwanden in der Wildnis, verteilten sich über die Gegend. Die Deutschen heuerten Rentierhirten an, die die Mulis zusammentreiben sollten. Über diesen Job gibt es allerlei Geschichten. Das Maultier hat ein völlig anderes Wesen als das Rentier, wie die Männer bald feststellten. Es ist eigensinnig, lässt sich nicht so leicht einfangen, und es will partout nicht in der Herde bleiben. Vor Hunden hat es Angst, gehorcht ihnen aber nicht, anders als das Rentier.«

Wie dem auch sei, zahlreiche Maultiere waren im Verlaufe jenes Winters in der Einöde nördlich des Inarisees aufgespürt und ins Rentiergatter am Siuttajoki getrieben worden, insgesamt zweihundert Stück. Auch etwa hundert Rentiere waren darunter gewesen, sodass man sie umständlich voneinander hatte trennen müssen. Die Deutschen waren erschienen, um ihre Maultiere abzuholen. Für jedes einzelne Tier hatten sie einen russischen Kriegsgefangenen als Treiber mitgebracht, und wenn das Vieh ausriss, wurde der Gefangene sofort erschossen.

»Überall in der Wildmark irrten in jenem Winter Maultiere herum. Eine Familie in Utsjoki kriegte am Heiligabend einen Heidenschreck, als plötzlich so ein armes Vieh durchs Fenster glotzte, das Maul bereift und die großen Augen weit aufgerissen.«

7

Den Rest der Wegstrecke trug Hermanni die Patientin Huckepack – Lena auf dem Rücken und den Rucksack vorn über dem Bauch. Es war enorm anstrengend, aber zum Glück war der Weg nicht mehr weit. Im Kankivuono-Fjord gab es eine Straße und ein Haus, und dort telefonierten sie nach einem Taxi. Verstohlen steckte Lena Hermanni ein Bündel Geldscheine zu und flüsterte, er möge das Taxi bezahlen, damit sie als Frau nicht in die Verlegenheit käme. Siehe da, außer ihrem Parfüm hatte die fliegende Abenteurerin im Ballon auch ihr Portemonnaie bei sich behalten. Geld ist leicht, von seinem Gewicht geht ein Ballon nicht zu Boden, auch wenn der gedruckte Notenwert schwer wiegt.

Rasch schnurrte das Taxi nach Ivalo. Auf dem Hof vor dem Gesundheitszentrum schwang Hermanni sich Lena Lundmark noch einmal auf den Rücken und trug sie in gewohnter Manier ins Untersuchungszimmer. Dann übernahm das medizinische Personal die Verantwortung. Lena plante, nach den vor Ort durchgeführten Untersuchungen Kontakt zu Doktor Seppo Sorjonen in Helsinki aufzunehmen, der ein berühmter Orthopäde und ihr Leibarzt war.

Hermanni drückte der Patientin die Hand und versprach, sie am nächsten Tag zu besuchen. Zielstrebig stiefelte er anschließend ins Restaurant *Kultahippu*, um sich ein

Bier zu genehmigen und nach langer Zeit mal wieder ein Fleischgericht, Rentiergeschnetzeltes, zu essen.

Von dem Geld, das ihm Lena gegeben hatte, übernachtete er im Hotel. Am nächsten Tag ging er gegen zwölf Uhr ins Gesundheitszentrum, um nach ihr zu sehen. Auf dem Hof vor dem Gebäude standen ein Übertragungswagen des Fernsehens und zahlreiche andere Fahrzeuge. Auch die zerfetzte Gondel samt Skikufen war vom See herbeigeschafft und offenbar den ganzen Morgen fotografiert und gefilmt worden.

Drinnen drängten sich Journalisten und Fotografen. Die überraschende Kunde von der Rettung Lena Lundmarks, der kühnen Ballonfahrerin, hatte Presseleute in Scharen herbeigelockt. Hermanni konnte sich kaum Platz verschaffen. Lena gab glückliche Statements über ihre wilde und gefährliche Tour ab, berichtete zugleich von der Tätigkeit des Roten Kreuzes und machte sich für den Katastrophenfonds stark.

Hermanni Heiskari versuchte, zu ihrem Krankenbett vorzudringen, aber man schob ihn beiseite. Einer der Fotografen zischte sogar wütend, dass so ein alter Lappenkerl gefälligst nicht seine stinkende Nase da hineinstecken sollte. Hermanni hatte erst mal genug. Er zog sich zurück und ging in den Ort. Dort kaufte er einen Strauß Nelken und bat, diesen ins Gesundheitszentrum an Frau Lena Lundmark zu schicken. Auf die dazugehörige Karte schrieb er, ein wenig bissig:

»Das Zugtier wünscht hiermit baldige Genesung.

Grüße vom fliegenden Gesellen Hermanni Heiskari.«

Anschließend beleckte er den Klebestreifen und verschloss den kleinen Umschlag sorgfältig, damit kein Unbefugter die Botschaft las.

In der Nacht war Wind aufgekommen, und im Ort ging das Gerücht, dass der See seine Eisdecke abwarf. Vom Hotel aus rief Hermanni in Inari an und erfuhr, dass ein guter Teil der Fläche frei war. Buchstäblich im letzten Moment hatte er Lena Lundmark an Land gebracht.

Mit leiser Wehmut ob des so raschen und schnöden Endes seines frühsommerlichen Abenteuers stieg Hermanni Heiskari in den Linienbus und fuhr in südliche Richtung; hinter Vuotso, am Abzweig zu seiner Hütte in Porttipahta, stieg er schließlich aus. Zu Hause schaltete er das Radio ein und las die Zeitungen, die sich in der Woche angesammelt hatten. Er verspürte Sehnsucht und hegte die leise Hoffnung, dass Lena Lundmark Kontakt zu ihm aufnehmen möge. Aber den Versprechen feiner Herrschaften konnte man nicht trauen, das war eine altbekannte Tatsache.

Es war die Zeit des erwachenden Sommers, aber Hermanni Heiskaris Stimmung war trübe. Er starrte durchs Fenster seiner Hütte auf das niedrige Ufergebüsch am künstlichen See, wo die Schell- und Krickenten ihre Balz veranstalteten. Hermanni empfand das als blanken Hohn. Immer wieder musste er an Lena Lundmarks Frische und Natürlichkeit denken, an ihr schönes und dankbares Lächeln und ihre energische Art, den Kopf zurückzuwerfen, wobei das Haar so hübsch aus der Stirn nach hinten, über die Ohren und in den Nacken fiel ..., war es nun rot oder braun gewesen, das Haar? Er sah die schimmernde Eisfläche des Inarisees vor sich und hatte von morgens bis abends den Gesang der Vögel im Ohr, und das machte dem alten fliegenden Gesellen mächtig zu schaffen. Lenas Figur hatte sich ihm nachdrücklich eingeprägt, ebenso ihr in jeder Hinsicht anziehendes Wesen. Schwer seufzend und hüstelnd versuchte er sich von diesen Gedanken zu befreien, kochte

Kartoffeln, brutzelte in der Pfanne Rind- und Schweine-
fleisch aus der Dose und rauchte viele Schachteln grüner
North State. Er fand keinen Schlaf, war so unruhig, dass
er mitten in der Nacht aufstehen und im Schuppen Brennholz hacken musste, nach und nach sammelten sich dort
Vorräte für mehrere Winter an. Hermanni begriff sehr
wohl, dass er sich in seiner Dummheit verliebt hatte, aber
diese Erkenntnis half ihm auch nicht weiter. Die brennen-
de Leidenschaft ließ ihm keine Ruhe, und er ärgerte sich
mächtig, dass er keinen Versuch unternommen hatte, bei
Lena irgendwie zu landen. Jetzt war es zu spät, die Gelegenheit war verpasst, die wortlosen Träume waren dahin-
geschmolzen wie das dicke und endlose Eis des Inarisees.
So geschah es mit allen guten und wichtigen Dingen in
diesem Leben.

Die Gedanken kühlten sich nur gelegentlich ab, wenn Hermanni seine mechanische Schreibmaschine hervorholte
und Ergänzungen zu der bereits begonnenen brisanten
Story aufs Papier hämmerte. Ein arbeitsloser Holzfäller verfügt über Zeit, momentan hatte Hermanni mehr als genug
davon. Dicker Zigarettenrauch hing in der kleinen Stube.
Hin und wieder knurrte der Schreiber gereizt, schraubte
das Blatt heraus, malte mit schwerer Hand Korrekturen in
den gewichtigen Text, spannte den Bogen wieder ein und
fuhr mit dem heftigen Gehämmer fort.

Eine Woche später tauchte dann ein Besucher auf, Lena
Lundmarks Onkel Ragnar Lundmark. Lena hatte ihren
Mädchennamen wieder angenommen, nachdem sie sich
von ihrem Mann hatte scheiden lassen, einem gewissen
Kuusisto aus Turku, seines Zeichens Möbelimporteur, der
an Schizophrenie erkrankt war und später Selbstmord
begangen hatte. Herr Ragnar Lundmark war über sechzig

und ein Gentleman mit feinen Manieren. Wenn er sprach, hörte man den schwedischen Akzent heraus. Er stellte sich vor und sagte, dass er ein Abgesandter von Frau Lundmark sei und eine wichtige persönliche Botschaft für Herrn Heiskari habe.

Ragnar hatte sich in Freizeitkleidung geschmissen. Er trug einen karierten Blouson aus Wollstoff, geschnürte Geländeschuhe aus weichem Leder, Cordhosen und ein Mückennetz. Draußen vor dem Haus stand ein großer Pkw, den Lundmark, wie er berichtete, in Rovaniemi gemietet hatte, nachdem er von Maarianhamina über Helsinki dorthin geflogen war. Bis zu Hermanni Heiskaris Hütte war es überraschend weit gewesen. Lappland war in der Tat ein sehr großer Bezirk, besonders im Vergleich mit Åland. Sein Gepäck hatte der Gast im Auto gelassen, wie er sagte.

Lundmark war ein großer schlanker Mann, er hatte eine adelige Hakennase und eine hohe Stirn mit mehreren Reihen waagerechter Falten. Das dünne silberweiße Haar war glatt nach hinten gekämmt. Seine Haltung war untadelig, und er bewegte sich geschmeidig wie ein Kosak. Obwohl er groß und auf gewisse Weise stattlich war, wirkte er gleichzeitig irgendwie zierlich, er gehörte zu der Art von Männern, die nicht für schwere Jobs geschaffen war. Seine Stimme war klangvoll wie die eines Rezitators, und er machte insgesamt einen sehr sympathischen Eindruck.

Der Besucher musterte den Hausherrn und die Hütte. Ein gewöhnlicher Mann aus dem Volk, so beurteilte er Hermanni Heiskari. Die Hütte war im Blockhausstil gebaut, sie hatte lediglich ein einziges Zimmer, darin befand sich in einer Ecke ein Alkoven, in der anderen eine Kochnische, vorn an der Eingangstür gab es einen Kamin und daneben eine weitere Tür, die vermutlich in die Sauna führte. Sauber war das Zimmer, aber bemitleidenswert bescheiden, abgesehen von den beiden Regalen, die vom Fußboden bis zur Decke reichten und mit Büchern vollgestopft waren. Zwischen ihnen stand ein kleiner Tisch, darauf ein Radio und ein Kofferfernseher.

Ragnar Lundmark ließ den Blick über die Bucheinbände schweifen. Hauptsächlich Sachliteratur. Oswald Spenglers *Untergang der westlichen Welt*, Felipe Fernández Armestos *Das zweite Jahrtausend*, Max Webers *Die protestantische Ethik und der Geist des Kapitalismus*, G.H. von Wrights *Der Mensch im kulturellen Umbruch*, Markku Salomaas *Rote Offiziere* sowie ein kleiner Band mit indianischen Weisheiten *Spuren des Wortes ...*, aber es gab auch Belletristik, wie etwa Juha Numminens *Missetäter*, Pertti Nieminens Schriftensammlung über die chinesische Kultur *Arm in Arm mit einem Mandarin*, Jarkko Laines Roman *Wie ein Leichenzug*, Bohumil Hrabals *Ich habe den englischen König bedient ...*, an sich überraschend, dass es in der primitiven Behausung eines einfachen Mannes diese Art von Literatur gab, noch dazu in solchen Mengen, es mochten wohl an die zwei- oder dreihundert Bände sein. Ragnar Lundmark hielt es für denkbar, dass Hermanni Heiskari aus dem Nachlass eines gebildeteren Menschen eine komplette kleine Bibliothek gekauft hatte. Wie dem auch sei, so ganz hoffnungslos wirkte dieser Mann nicht, auch wenn er äußerlich ungepflegt war und den Eindruck eines mürrischen und verschlossenen Charakters vermittelte. Und die Landschaft, die durchs einzige Fenster der Hütte zu sehen war, war in der Tat deprimierend. Ein versumpfter künstlicher See, an dessen Ufer verkrüppelte Fichten wuchsen. Man befand sich zwar in Lappland, aber durchs Fenster war kein einziger richtiger Fjäll zu sehen. Ragnar Lundmark fand es unbegreiflich, dass sich jemand mit diesem tristen Ausblick begnügte, wenn es doch in unmittelbarer Reichweite viel schönere Landschaften gab.

Hermanni Heiskari kochte Kaffee und tischte ein paar Kekse auf, die er glücklicherweise am Vortag gekauft hatte. Nach dem Kaffee kam Ragnar Lundmark zur Sache.

»Zuallererst möchte ich mich herzlich dafür bedanken, dass Sie meiner Nichte Lena Lundmark das Leben gerettet haben. Wie Lena berichtete, haben Sie sie mutig und unerschrocken geleitet, haben vielen Schwierigkeiten getrotzt und sie aus Sturm und Eis aufs sichere Festland gebracht, noch dazu unter Gefährdung Ihres eigenen Lebens.«

»Nicht der Rede wert. Wie geht es Madame jetzt?«

»Sie genießt Doktor Sorjonens ausgezeichnete Behandlung, und ihre Genesung macht rasche Fortschritte.«

»Das ist ja prima«, äußerte Hermanni Heiskari ehrlich erfreut.

»Wie Sie sich vielleicht erinnern, war es Frau Lundmark wichtig, dass Sie für Ihre Heldentat großzügig belohnt werden. Diesen Auftrag zu erledigen, bin ich nach Lappland gekommen.«

Nach diesen verheißungsvollen Worten begann Ragnar Lundmark seine Aufgabe näher zu erläutern. Zunächst einmal könne Herr Heiskari jetzt frei von materiellen Sorgen sein Leben nach besten Kräften genießen. Frau Lundmark werde für alle Kosten aufkommen. Ihr ausdrücklicher Wunsch sei es außerdem, dass ihr Onkel, Ragnar also, Herrn Heiskari bei diesen für ihn neuen und anfangs vielleicht auch fremden Lebensgenüssen als Wegbegleiter zur Seite stehe.

»Ich wurde also als eine Art Helfer in allen Lebenslagen

50

eingesetzt, vielleicht sollte ich Butler sagen, falls das die Situation besser charakterisiert.«

»Und dieses Glück für den ganzen Rest meines Lebens?«, stöhnte Hermanni, der einfach nicht glauben konnte, dass feine Leute ihr Wort hielten.

»Leider bin ich nicht befugt, Ihren Gelüsten fürs ganze weitere Leben nachzukommen oder diese zu finanzieren, auf jeden Fall aber erst mal für ein volles Kalenderjahr.«

Ragnar zückte seinen Taschenkalender und erklärte, dass der Beginn des Jahres der Genüsse auf jenen Moment datiert sei, da der Heißluftballon auf dem Inarisee notlandete.

»Das war am 9. Juni, wenn ich recht unterrichtet bin?«

»Ja, das stimmt wohl.«

Ragnar Lundmark erklärte, dass Herr Heiskari am besten gleich eine Art Jahresplan für seinen neuen Lebensstil erstellen solle, damit der wohlwollende Gedanke Frau Lundmarks in die Tat umgesetzt werden könne. Der Aufenthalt in dieser bescheidenen kleinen Blockhütte sei für jemanden, der an eine entsprechende Lebensweise gewöhnt ist, vielleicht ganz vergnüglich, aber diesen zu finanzieren sei bei Weitem nicht Lohn genug für die Lebensrettung Madames. Es lohne, etwas anzupeilen, was ein wenig mehr Komfort und Genuss versprach.

»Aber wenn ich losziehe, um auf die Pauke zu hauen, dann kostet das, und nicht mal wenig.«

»Finanzielle Beschränkungen gibt es nicht. Ich garantiere, dass mehr als ausreichend Geld für den Zweck zur Verfügung steht.«

Glückliche Entschlossenheit machte sich in Hermannis Gesicht breit.

»Na, mir soll's recht sein. Dann nix wie los!«

Zweiter Teil

8

Sie brachen sofort auf. Hermanni Heiskari warf ein paar Hemden, Strümpfe und Unterhosen, sein Rasierzeug und ähnlichen Bedarf in eine große rote Sporttasche, die auf der einen Seite die Aufschrift *International University* und auf der anderen die Abkürzung des Ballsportvereins Rovaniemi trug. Ragnar Lundmark erkundigte sich diskret, ob Herr Heiskari denn keinen Koffer besitze, damit er einen Anzug für kommende Gelegenheiten einpacken könne.

»Nee, hab keinen Koffer, und 'nen Anzug auch nicht.«

Ragnar Lundmark staunte:

»Ja, glauben Sie denn wirklich, dass Sie sich überall in Freizeitkleidung zeigen können?«

Hermanni hatte nie einen Gedanken an korrekte Kleidung verschwendet, wenn er auf Tour gegangen war. Das war bei Waldburschen nicht üblich. Und in den seltenen Fällen, da in den Gaststätten Schlips und Sakko verlangt wurden, konnte man diese herrschaftliche Ausstattung beim Türsteher mieten. In guten alten Zeiten hatten die Türsteher im Norden für Notfälle die komplette Kluft in den passenden Größen parat gehabt. Konfirmationsanzüge für große Jungs.

Also das Vorhandene eingepackt, und auf ging's. Ragnar Lundmark fuhr nach Saariselkä, wo Hermanni schnurstracks der Kneipe zustrebte und das Besorgen der Unterkunft seinem Butler überließ. Das war der Auftakt zu einer zweiwöchigen nervenzerfetzenden Zechtour durch Lappland und das übrige Finnland.

Den Ort Saariselkä machte Hermanni zwei Tage lang unsicher. Er erregte beträchtliches Aufsehen mit seiner lärmenden Feierei, bis Ragnar Lundmark vorschlug, nach Rovaniemi weiterzufahren, da er den gemieteten Wagen zurückbringen wollte.

»Nu denn, ist mir recht, fahren wir zum *Pohjanhovi*.«

In Rovaniemi vergingen wieder ein paar Tage, und im Nu war auch Johannis vorbei. Das Wunder der Mitternachtssonne feierten sie mit großem Nachdruck am Ounasvaara, und anschließend rauschten sie im Taxi nach Oulu.

»Die Stadt ist ja mächtig gewachsen, seit ich zuletzt hier war.«

Hermanni hatte 1965 in Hiukkavaara in der Granatwerferkompanie der nördlichen Brigade gedient.

»Bin Unteroffizier. Darf man fragen, was Ihr Rang ist?«

Lundmark zögerte einen Moment. Dann erklärte er, dass er Oberstleutnant a.D. sei. Diese Nachricht machte auf Hermanni gewaltigen Eindruck, und von da an leistete er sich keinen Versuch mehr, seinen Butler zu duzen, nicht mal, wenn er betrunken war.

Als Oulu gründlich durchfeiert war, ging es weiter nach Jyväskylä, Tampere, Lahti und anschließend nach Kotka. Endlich war bei Hermanni Heiskari die Luft raus, und schlapp und erschöpft ruhte er sich im Motel von Kymi aus. Die hemmungslose Tour hatte an den Kräften gezehrt. Hermanni schlief zwei Tage und Nächte hintereinander, und so hatte Ragnar Lundmark endlich Zeit, sich hinzusetzen und seiner Nichte schriftlich vom Verlauf der vergangenen zwei Wochen zu berichten. Es wurde denn auch ein langer und recht harscher Brief, den Ragnar nach Maarianhamina faxte.

»4. 7., Kymenlaakso Finnland

Liebe Lena!

Erst jetzt habe ich Gelegenheit, dir in einem detaillierten Bericht zu schildern, was Herr Heiskari und ich in letzter Zeit erlebt haben.

Gleich zu Beginn muss ich konstatieren, dass ich nie vermutet hätte, wie anstrengend dein neuer Auftrag sein würde. Dazu kommt die unglaubliche Primitivität, die diese Reise geprägt hat. Sei mir nicht böse, aber ich schreibe diesen Bericht frustriert und zu Tode erschöpft. Ich weiß nicht, ob ich deinen Auftrag weiter erfüllen kann oder dich bitten muss, jemand anderen zu suchen, der einen volkstümlicheren Geschmack hat und der jünger und physisch belastbarer ist.

Andererseits ist der Auftrag, wie du weißt, finanziell enorm wichtig für mich, und ich möchte nicht vorschnell das Handtuch werfen. Wäre ich gläubig, würde ich Gott um Durchhaltevermögen bitten und mir zugleich wünschen, dass die ungeheuren Kräfte deines Auserwählten erlahmen oder wenigstens ein bisschen nachlassen mögen. Kaum zu glauben, dass er schon fast fünfzig ist. Aber anscheinend stählt die Arbeit in diesen kargen Nadelwäldern die Männer.

Als Persönlichkeit machte er auf mich zunächst einen unsympathischen Eindruck. Er wirkte mürrisch und ein wenig beschränkt. Aber sowie Alkohol vor ihm steht, lebt er auf und erzählt merkwürdige Geschichten, von denen der größte Teil, wie ich vermute, glatt gelogen oder zumindest übertrieben und fantasievoll ausgeschmückt ist. An sich ist er nicht dumm, sondern auf seine eigene grobe Weise

sogar gebildet. Er hat zu Hause tatsächlich seine eigene
Bibliothek mit allerlei halbphilosophischen Schriften und
belletristischen Werken jeglicher Couleur, bunt durchei-
nandergewürfelt, ohne dass irgendein System zu erkennen
wäre, nach dem die Werke angeschafft wurden. Er rühmt
sich damit, Schwedisch ›über den Arm‹ gelernt zu haben,
was wohl so viel bedeutet, dass er in jungen Jahren irgendwo in Nordschweden Bäume gefällt hat. Und Englisch, so
prahlt er, spricht er wie ein Wasserfall – hat es angeblich
drei Jahre lang an einer finnischen Volksbildungseinrich-
tung, einer Fernschule, gebüffelt. Auf Deutsch knurrt er
nur ein paar Zoten und Kommandos, und wenn er betrunken ist, brüllt er die widerwärtigsten deutschen Militär-
ausdrücke und wirkt dabei richtig bedrohlich. Hier fällt
mir übrigens ein, dass er von seinem militärischen Rang
her Unteroffizier der Reserve ist.

Leider muss ich gestehen, dass ich mir nicht verkneifen
konnte, hinsichtlich meines eigenen Ranges ein wenig zu
übertreiben. Ich erklärte, dass ich Oberstleutnant a. D. sei,
was großen Eindruck auf ihn machte. Ich hoffe, dass du
diese kleine Notlüge meinerseits nicht korrigierst, denn
unter den gegebenen Umständen musste auch ich mir
etwas ausdenken, auf das ich mich notfalls stützen kann.
Außerdem: Hätte ich einst die Militärlaufbahn gewählt,
hätte ich es ganz sicher mindestens bis zum Oberst
gebracht. Schließlich gibt es in unserer Familie immerhin zwei Generäle sowie eine ganze Schar Oberste und
Majore.

Herr Heiskari strahlt eine ganz eigene, anziehende Männ-
lichkeit aus, die dich womöglich beeindruckt hat. Dennoch ist er keine moderne Version des ›edlen Wilden‹,
durchaus nicht. Allerdings muss auch ich zugeben, dass,

wäre er jünger und hätte er wenigstens ein bisschen mehr Manieren, Schliff und Bildung, auch ich mich womöglich von ihm angezogen fühlen würde. Ich meine damit nicht, dass ich in irgendeiner Weise beabsichtigen würde, den potenziellen erotischen Freund in ihm zu sehen – das liegt mir gänzlich fern –, aber irgendwie verstehe ich dich, die du immerhin eine Frau bist, und in unserer Familie sind ja die Frauen, mit Verlaub, recht aktiv. Schon allein, dass er ziemlich nachlässig in seiner persönlichen Hygiene ist, ist mir ziemlich unangenehm. Kannst du dir vorstellen, dass er nach dem Rasieren keine weiteren Düfte als ein paar Tropfen seines billigen Rasierwassers verwendet?! Als auch das verbraucht oder verschwunden war, hielt er es für angebracht, sein Kinn und sogar seine Achselhöhlen mit einem Schuss reinen Wodkas einzureiben! Aufmerksam wie ich bin, stellte ich ihm ein, wie ich fand, elegantes Parfüm ins Bad, aber bei diesem Herrn wirkte der sanfte Wink nicht. Andererseits ist er ein eifriger Saunagänger, was zum Glück die ansonsten mangelhafte Hygiene ausgleicht. Leider gibt es auf solchen Reisen nur sporadische Möglichkeiten zum Saunieren.

Verzeih mir, dass ich so viel von deiner Zeit beansprucht habe, um dir meine vielleicht nichtig erscheinenden Beobachtungen mitzuteilen, aber du musst wissen, dass das Gefäß meiner Ersterfahrungen randvoll ist, falls du verstehst.«

Ragnar Lundmark musste das Abfassen seines erregten Rapports für einige Zeit unterbrechen, denn Hermanni Heiskari kam zu ihm ins Zimmer gepoltert und beklagte sich über sein elendes Befinden. Ein Wunder war das nicht. Butler Ragnar entnahm seinen eigenen Beständen eine Vitaminspritze und hieb sie seinem Schützling in den

Hintern, dann bestellte er ihm ein leichtes Frühstück aufs Zimmer und geleitete ihn unter die Dusche. Als das erledigt war, kehrte er in sein eigenes Zimmer zurück, um an dem Bericht weiterzuschreiben.

»Gerade eben ist Herr Heiskari erwacht. Er fühlt sich jetzt sehr elend. Er erkundigte sich, an wen ich schreibe, und als er erfuhr, dass du, liebe Lena, die Empfängerin bist, wurde er buchstäblich kalkweiß im Gesicht und bat mich, dir keine Einzelheiten unserer bisherigen Tour zu verraten. Ich versprach, ihm gegenüber loyal zu sein, obwohl ich größte Lust hätte, sein Verhalten detaillierter zu beschreiben. Dann wüsstest du nämlich, wer der Mann ist, den du in ein kultivierteres Umfeld zu bringen beschlossen hast.

In Einhaltung meines Versprechens begnüge ich mich also damit, die Etappen unserer Reise nur in groben Zügen nachzuzeichnen.«

Es folgte ein langes Klagelied über die zweiwöchige Tour, die also in Saariselkä begonnen hatte und über Rovaniemi, wo Mittsommer gefeiert worden war, nach Oulu, Jyväskylä, Tampere, Lahti und Kymenlaakso geführt hatte. Der Rapport endete mit der Schilderung einiger charakteristischer Situationen:

»Ich habe Herrn Heiskari als impulsiven Alkoholiker erlebt, der bei seinen Saufgelagen auch gern Frauen um sich schart. Hoffentlich bist du nicht allzu schockiert, wenn ich dir erzähle, dass sich zeitweise eine beträchtliche Anzahl moralisch fragwürdiger Damen, um nicht zu sagen Dirnen, zu uns gesellt hatte, für deren Bewirtung ich notgedrungen mit aufkommen musste. Will sagen, Herr Heiskari interessierte sich sogar für professionelle Dienerinnen der käuflichen Liebe, ohne allerdings auch nur im Entferntesten zu begreifen, auf was diese Frauen wirklich aus sind. Er glaubt allen Ernstes, dass ihr Interesse auf seine ungewöhnliche Anziehungskraft zurückzuführen ist. Sogar estnische und russische Frauenzimmer waren darunter. Nach meiner Einschätzung ist es mir in all diesen alarmierenden Situationen wenigstens gelungen, für die Einhaltung der erforderlichen Hygiene und Verhütung zu sorgen. Du kannst mir glauben, dass dabei enormes Feingefühl und unnachgiebige Entschlossenheit erforderlich waren.

Ich schicke dir diese Zeilen als Fax, liebe Lena, und melde mich morgen, vielleicht aus Porvoo, aus dem Schlosshotel Haiko oder einem nahe gelegenen Ort, um dir mitzuteilen, wohin du deine Antwort und neue Instruktionen schicken kannst.

In ständiger Sehnsucht, dein dich liebender Onkel Ragnar.«

9

Lena Lundmark rief am nächsten Tag im Schlosshotel Haiko an, wo das Duo gerade Quartier bezogen hatte.

»Du alter Esel!«, eröffnete sie das Gespräch mit ihrem Onkel. Sie warf Ragnar vor, zugelassen zu haben, dass Hermanni Heiskari schweinigelte.

»Wir hatten vereinbart, dass du als Reiseleiter fungierst und in bestmöglicher Weise dafür sorgst, dass Hermanni sich anständig benimmt. Mein ausdrücklicher Wunsch war, dass du ihm gute Manieren beibringst und ihn gleichzeitig im Auge behältst. Und was hast du bewirkt?«

Ragnar versuchte seine Position zu verteidigen und erklärte, dass Herr Heiskari ein eigensinniger Mann sei und gute Ratschläge nicht so ohne Weiteres befolge.

»Ein Schlappschwanz bist du, und außerdem eine verdammte Schwuchtel. Lass ja deine Finger von Hermanni.«

»Bitte nicht unter Niveau, liebe Lena. Ich hätte ansonsten auch dies und das über dich anzumerken, falls du geschmacklos wirst.«

Lena entschuldigte sich für ihr Aufbrausen. Dann diktierte sie ihre Anweisungen. Die beiden Gefährten sollten unverzüglich nach Lappland zurückkehren und die Tour erneut starten. Jetzt hieß es, die Manieren zu verbessern, Schweinereien wurden nicht mehr geduldet.

»Sollte Hermanni nicht gehorchen, dann sag ihm, dass er in diesem Falle seiner Wege gehen und wieder in seine Hütte zurückkehren kann, um für den Rest seines Lebens durch sein Guckloch von Fenster auf den stinkenden künstlichen See zu starren. Mach ihm ein für alle Mal klar, dass es so wie bisher nicht läuft. Ich bezahle keinem Mann seine Huren, das muss auch er kapieren.«

Ragnar erkundigte sich nach Lenas Befinden. Der Nichte ging es schon viel besser, auch wenn sie weiterhin eine Krücke benötigte. Sie kündigte an, vielleicht später zum Herbst hin Hermanni und Ragnar zu besuchen. Bis dahin sollte Hermannis Erziehung schon gute Fortschritte gemacht haben.

Als sie aufgelegt hatte, dachte Ragnar gekränkt, was für ein strenges Weib seine Nichte doch war. Schrie und schimpfte und kommandierte ihren älteren Verwandten herum. Hermanni würde eine rechte Kratzbürste abbekommen. Mitleid hatte Ragnar allerdings nicht, jeder musste sein Kreuz selbst tragen.

In Helsinki besorgte Ragnar Flugtickets nach Kemi, und dann holte er Hermanni zum Kleiderkauf ab. Sie erwarben für ihn ein Jackett und zwei Paar Hosen, dazu Schuhe, Hemden und Krawatten. Im Lederwarengeschäft Navara kauften sie einen Koffer.

Dort drinnen im Laden erzählte Hermanni eine Geschichte vom spanischen Bürgerkrieg, an dem auch der Schmucke Jussi – das Idol aller fliegenden Gesellen des Nordens – aufseiten der Republikaner teilgenommen hatte.

»Ich glaube, es war die Provinz Navarra, dort fand ein großer Kampf statt, in dem die finnischen Freiwilligen fast bis zum letzten Mann fielen. Nur einige wenige kamen davon, indem sie den Feind aufhielten, damit die internationale Brigade den Rückzug antreten konnte und so der Vernichtung entging.« Der Schmucke Jussi hatte erzählt, dass diese letzten Helden dafür mit Urlaub in Barcelona belohnt worden waren, aber sie hatten angefangen zu saufen, und als sie wieder in ihre Einheit zurückgekehrt waren, hatten sie randaliert. Ein französischer Offizier hatte daraufhin das Todesurteil über die Männer verhängt, und sie waren auf der Stelle erschossen worden.

Ragnar Lundmark hatte ebenfalls von dem Fall gehört, hatte aber bisher nicht gewusst, dass auch der Schmucke Jussi am spanischen Bürgerkrieg teilgenommen hatte. Und wieso hatte der dann jene Hinrichtung überlebt?

Hermanni erklärte, dass Jussi, betrunken wie er war, im Freudenhaus in Barcelona übernachtet hatte und nicht rechtzeitig in der Kompanie zurück gewesen war, um erschossen zu werden. Er hatte vom Schicksal seiner Kameraden erst am folgenden Tag erfahren.

»Der Schmucke Jussi hat erzählt, dass bei diesem schlimmen Ereignis sogar die Geier weinten, auch sie hatten einen Kloß in der Kehle, als die finnischen Helden erschossen wurden.«

Hermanni Heiskari hätte sich am liebsten einen protzig wirkenden schwarzen Lederkoffer gekauft, der an den Kanten mit goldfarbenen Metallplatten beschlagen war, aber Ragnar Lundmark riet ab. Der Koffer war zwar groß und repräsentativ, aber gerade so ein Modell sollte sich der reiselustige Gentleman nie kaufen. Geräumig musste der Koffer schon sein, denn es mussten reichlich Garderobe für die verschiedensten Anlässe und viele andere auf Reisen unentbehrliche Dinge hineinpassen, aber er sollte nicht zu angeberisch aussehen.

»Diese Exemplare werden häufig gestohlen. Wenn Sie

einen teuren Koffer besitzen, müssen Sie ihn ständig im Auge behalten, und das kostet Zeit und Nerven.«

Sie wählten also einen geräumigen Koffer in höchstens mittlerer Preislage. Hermanni war überrascht, als Ragnar Lundmark die Farbe Gelb vorschlug, denn die war zweifellos ziemlich grell und auffallend. Aber Ragnars Begründung leuchtete ein. Die grauen, blaugrauen und schwarzen Koffer waren für ihre Besitzer eine einzige Plage, und zwar deshalb, weil die meisten Koffer auf dieser Welt so aussahen.

»Dann unterscheidet man sie nicht in der Masse«, begriff Hermanni Heiskari.

»Eben drum. Man muss seinen Koffer erkennen können, er muss von so auffallender Farbe sein oder irgendwie besonders aussehen, dass er unverwechselbar ist. Auf den Förderbändern der Flugplätze entdeckt man ihn dann schon von Weitem und kann ganz in Ruhe an das Band herantreten und ihn herunternehmen, ohne dass man erst umständlich auf dem Kofferanhänger nach dem Namen suchen muss, nur um festzustellen, dass man den falschen Koffer gegriffen hat, während der richtige fröhlich vorbeisegelt.«

Unterwegs zum Hotel schleppte Hermanni den großen senfgelben Koffer und machte dabei lange Schritte, so wie er es daheim in der Wildmark zu tun pflegte. Ragnar Lundmark brachte das Thema zur Sprache.

»Nehmen Sie es mir nicht übel, aber Ihre Gangart – die sieht im Straßenbild ein wenig ungewöhnlich aus.«

Hermanni schnürte über die Straße, als wäre er dabei, einen Sumpf zu überqueren. Ragnar empfahl ihm das eigene Beispiel, denn seine Art zu gehen war typisch für einen Städter. Der Schritt war leicht und geschmeidig, kurz und forsch. Hermanni probierte ihn aus und stellte fest, dass er sich für die Fortbewegung auf der Straße besser eignete als der alte vertraute Waldläuferstil.

»Hätte nie gedacht, dass ich in diesem Alter noch gehen lernen muss.«

Ragnar Lundmark bedeutete ihm, dass er auch gut daran täte, auf seine Sprache zu achten.

»Natürlich ist die örtliche Mundart es wert, erhalten zu werden, aber wenn wir durch fremde Gegenden reisen, ist es vorteilhaft, die Hochsprache zu benutzen, damit man uns nicht wegen des Dialekts als Landeier abstempelt oder, was vielleicht noch bedauerlicher wäre, als Lappländer. Wenn Sie zum Beispiel ›nu denn‹ sagen, dann klingt das für Außenstehende irgendwie seltsam.«

»Nu denn, kann gut möglich sein, aber Ihr finnland-schwedischer Singsang ist auch nicht gerade das Wahre.«

»Ich gebe zu, dass ich mit leichtem Akzent spreche, aber ich versichere Ihnen, dass ich mich bemühe, ihn abzulegen.«

Am nächsten Morgen flogen die Männer nach Kemi, wo sie sich im *Merihovi* einquartierten. Hermanni Heiskari hatte das *Merihovi* in jungen Jahren einige Male von außen bewundert, es war seinerzeit eines der vornehmsten Hotels im Norden gewesen. Das Haus war immer noch in Betrieb, wirkte allerdings ziemlich heruntergekommen. Hermanni staunte, wie schnell er, der alte Waldbursche, seine Ansprüche nach oben korrigiert hatte, jetzt empfand er das *Merihovi* schon als zweitklassig, dabei wäre er noch vor ein, zwei Monaten begeistert gewesen, wenn er sich hier ein paar flotte Tage hätte machen können.

Ragnar Lundmark besuchte eine Buchhandlung und kaufte ein wenig Reiselektüre. Er entdeckte dort außerdem den

Bildband *Lappland à la carte*, in dem Meisterkoch Tapio Sointu lappländische Spezialitäten vorstellte, die auf den Speisekarten der besten Restaurants im Norden zu finden waren.

»Vielleicht sollten wir jetzt im Sommer nacheinander all die Touristenhotels aufsuchen und sämtliche Köstlichkeiten probieren, die der Norden zu bieten hat«, schlug Ragnar Lundmark vor. Hermanni Heiskari blätterte in dem Buch. Da gab es Delikatessen aller Art, das Wasser lief ihm im Mund zusammen.

»Nu denn, mir soll's recht sein«, stimmte er bereitwillig zu.

10

Zum Mittag bestellten sie Lachstaschen, die im Bildband als Spezialität des *Merihovi* gepriesen wurden. Es war gerösteter Lachs in Butterteig, dazu gab es Wurzelgemüse, in Weißwein mariniert, und Butter.

»Das schmeckt wirklich gut«, lobte Hermanni Heiskari und verzichtete dabei auf das »nu denn«.

Hermanni erzählte, dass er in jungen Jahren in der mechanischen Werkstatt der Pajusaari-Fabrik, die zum Kemi-Konzern gehörte, gearbeitet hatte. Damals hatte sich ein gewöhnlicher Arbeiter nicht mal im Traum vorstellen können, je im *Merihovi* zu essen, weil ihm dazu das Geld und die Krawatte gefehlt hatten. Ragnar fragte verwundert, wieso Herr Heiskari in der Werkstatt einer Holzmassefabrik gearbeitet hatte, wurde dort nicht eigentlich Masse produziert? Und außerdem war ja Herr Heiskari ein fliegender Holzfäller und kein Mechaniker.

Hermanni klärte ihn dahingehend auf, dass in jeder Holzmasse- und Papierfabrik eine eigene Werkstatt gebraucht wurde, in der Ersatzteile gefertigt und sämtliche bei Erweiterungsmaßnahmen anfallenden Metallarbeiten durchgeführt wurden. Um den Job zu bekommen, hatte er sich eines damals üblichen Tricks bedient.

»Während ich in der Schlange anstand, ließ ich verlauten, dass ich fünf Jahre Ausbildung in der Lokomotivwerkstatt von Vaasa hinter mir hatte, und sofort wurde ich eingestellt.«

»Verlangte man denn keine Zeugnisse?«

»Ich versprach, sie am nächsten Tag vorzulegen, aber kein Mensch fragte mehr danach.«

Hermanni hatte sich allerdings sputen müssen, die Arbeit in der Werkstatt zu erlernen. Nachts las er die einschlägigen Lehrbücher, aber die Terminologie musste er sich dadurch aneignen, dass er den Gesprächen der älteren Arbeiter lauschte. Ungefähr ein Jahr lang war Hermanni in der Werkstatt beschäftigt, und in dieser Zeit wurde er firm im Beruf. Er prahlte Ragnar gegenüber, dass er auch heute noch imstande wäre, etwa einen Automotor zu bauen, wenn er die entsprechenden Werkzeuge und das Zubehör bekäme, eine Drehbank, eine Fräsmaschine, Aluminium, Stahl und Lager. Hätte er damals nicht zur Armee gemusst, wäre er vielleicht noch länger in der Werkstatt geblieben.

Ragnar Lundmark fragte, ob Herr Heiskari die Touristenhotels Lapplands von West nach Ost oder in umgekehrter Richtung kennenlernen wollte. Hermanni entschied sich, die Reise im östlichen Winkel zu beginnen. Ragnar besorgte Fahrkarten für den Nachtzug aus Helsinki, und so fuhren sie also nach Kemijärvi.

Während der ganzen Nacht prasselte Regen gegen das Fenster des Schlafwagenabteils.

Dieser Juli war feucht, ständig regnete es. Das Heu verfaulte auf den Feldern, die Partei der Landleute schimpfte auf die Regierung wegen ihres Beitritts zur EU, und die Urlauber klagten über die kühle Witterung. Aber Hermanni Heiskari drehte sich in seinem Schlafwagen erster Klasse zufrieden auf die andere Seite und dachte bei sich, dass es draußen ruhig regnen mochte. Hier lag einer, dem das Wetter nichts anhaben konnte.

Im Traum geisterte durch seinen Kopf der schwache Gedanke, dass er in diesen Himmel der Genüsse quasi am Schenkel einer in Not befindlichen Frau emporgeklettert war – bildlich gesehen –, ganz wie ein gieriger Gigolo. Aber der Gedanke machte ihm kein schlechtes Gewissen, es war ein eher angenehmer Traum, und ein Albtraum war es ganz sicher nicht.

Gegen Morgen stoppte der Zug irgendwo östlich von Rovaniemi, als wäre eine Wand vor ihm aufgetaucht. Die Notbremsung war so abrupt, dass die Reisenden das Gefühl hatten, als wäre der ganze Wagen aus dem Gleis gesprungen. Gewaltiges Donnern war zu hören, als die pneumatischen Bremsen über die Schienen schrammten. Hermanni und Ragnar lugten aus dem Fenster. Draußen wurde laut gerufen, und bald liefen einige Männer mit einer Trage am Bahndamm entlang. Anscheinend war irgendetwas passiert. Es regnete in Strömen und war fast finster. Hermanni zog sich den Morgenmantel an und verließ das Abteil, er ging zum Ende des Waggons vor, öffnete die Tür und spähte nach vorn zur Lok. Dort wurde eine Leiche auf die Trage gehoben, ein Mann war unter den Zug geraten, sein Körper in der Mitte durchtrennt, eindeutig Selbstmord. Sicher ein bedauernswerter Arbeitsloser, sagten die Leute mitleidig, während sie aus den offenen Türen schauten. Als der Leichnam an Hermannis Tür vorbeigetragen wurde, floss das Blut des unglücklichen Kerls unter der Decke hervor und tropfte auf den Schotter, wo es sich sofort verteilte und zusammen mit dem Regen von der Erde aufgesogen wurde.

Hermanni kamen die Worte in den Sinn, die die Pfarrer

bei der Beerdigung zu sagen pflegten: Von der Erde bist du genommen, zu Erde sollst du wieder werden.

Den Zielbahnhof Kemijärvi erreichten sie am Morgen. Sie überlegten, ob sie in der Stadt bleiben oder gleich zum Pyhätunturi oder nach Luosto weiterfahren sollten. Hermanni wollte bleiben, und damit war die Sache entschieden.

Sie fuhren mit dem Taxi durch den Regen zum Hotel *Koilliskunta*. Unterwegs fragte Ragnar, wie nahe sie jetzt dem Berg Korvatunturi waren. Befand sich das Weihnachtsmannland hier in Kemijärvi oder anderswo? Ragnar Lundmark war nie zuvor in dieser Gegend gewesen.

Hermanni sagte ihm, dass sich der Korvatunturi gut hundertfünfzig Kilometer nordöstlich von Kemijärvi befand. Es war ein ganz gewöhnlicher Fjäll, und er lag außerdem an der Grenze zwischen Finnland und Russland. Das Weihnachtsmannland oder vielmehr Verkaufsstätten für weihnachtlichen Kitsch gab es in den verschiedensten Gegenden Lapplands, die größten Läden fand man am Polarkreis nördlich von Rovaniemi.

»Vor zwei Jahren besuchte ich einen Kurs für Wildmarkführer in Rovaniemi. Es war eine Arbeitsförderungsmaßnahme. Dort wurde alten Holzfällern beigebracht, wie man ein Lagerfeuer anzündet. Ich wandte die Zaubertricks der alten Lappen an, und schon brannte das Feuer.«

Ragnar wollte mehr über diese Tricks der Einheimischen wissen. Hermanni verriet ihm, dass man trockene Holzscheite zu einem Kegel aufschichtete, fünf Liter Benzin darübergoss und ein brennendes Streichholz hinterherwarf, und da musste es dann schon mit dem Teufel zugehen, wenn der Zauber nicht wirkte.

In dem Kurs war auch der Service am Kunden Thema gewesen. Die Teilnehmer waren darauf vorbereitet worden, als vielseitige Wildmarkführer den Touristen draußen in der Natur ein exotisches Programm zu bieten, im Bedarfsfall sollten sie auch eine lappische Nojde oder, falls Kinder dabei waren, den Weihnachtsmann spielen. An den Abenden hatten die Kursteilnehmer entsprechende kleine Sketche eingeübt, um sich die Inhalte besser zu merken.

Hermanni war an den gemeinsamen Abenden gern als Weihnachtsmann aufgetreten, war er doch der älteste Teilnehmer des Kurses und somit für die Rolle prädestiniert gewesen. Die anderen hatten die übliche Frage nach dem Alter des Weihnachtsmannes gestellt, und Hermanni hatte geantwortet, dass er mittlerweile schon tausend Jahre auf dem Buckel hatte. Nun, und welche Geschenke hatte der Weihnachtsmann in alten Zeiten an die Kinder verteilt?

»Mich ritt der Teufel, und ich fing an, all die Geschenke der Jahrtausende aufzulisten, die die finnischen Kinder erhalten hatten. Ich erklärte, dass der Weihnachtsmann während der Kreuzzüge noch jung gewesen war, und trotzdem waren aus Schweden reichlich westliche Geschenke über das Meer nach Finnland gebracht worden, mehr, als man sich dort gewünscht hatte. Viele Finnen hatten ihren Kopf eingebüßt, ehe das Volk den neuen Glauben und die Weihnachtsbotschaft angenommen hatte.

Hermanni Heiskaris Weihnachtsmann war mit seinen Geschenken auch an den Tagen des großen Unfriedens und vor allem während des Keulenkrieges unterwegs gewesen, als Hunderte Männer wie die Bullen im Schnee abgeschlachtet wurden. Und erst die internationalen Weihnachtsfeste im Dreißigjährigen Krieg mit all den dazugehörigen Geschenken! Der finnische Weihnachtsmann war mittendrin gewesen, als durch das ganze achtzehnte Jahrhundert hindurch Intrigen gesponnen und Land geraubt wurde, und auch in den hundert Jahren unter russischer Herrschaft war er aktiv gewesen. Es gab Jahre des Todes, in denen der Weihnachtsmann zum Fest mit der Sense erschien. Dann im zwanzigsten Jahrhundert erlebte er den roten Aufstand und den weißen Terror, die Pferderevolte, die Revolte von Mäntsälä, die Fettrevolte ..., und schließlich folgten der Winterkrieg, der Fortsetzungskrieg, die Gebietsabtretungen, die Evakuierungen, die Reparationen, der große Frieden und die Sprachlosigkeit der Kekkonen-Ära.

»Ich forderte die anderen sogar noch auf: Kommt, singt ein Lied für den Weihnachtsmann! Und ich stimmte an: Morgen, Kinder, wird's was geben ... Aber es kam keine richtige Weihnachtsstimmung auf.«

Man hatte Hermanni die Weihnachtsmannmaske heruntergerissen und ihn aufgefordert, den Mund zu halten. Im Abschlusszeugnis des Kurses waren seine Leistungen in den Fächern Kooperationsfähigkeit und künstlerisches Einfühlungsvermögen nicht sehr positiv bewertet worden.

Zum Mittag aßen die beiden Männer in einem Restaurant in Kemijärvi die »Botschaft der vier Winde«: Man servierte ihnen eine große ovale Schale, darin lag an einem Ende gerösteter Lachs, es folgten zur Mitte hin mehrere Schneehühner, daneben Bratenstücke vom Rentier und schließlich am anderen Ende noch ein halbes Dutzend Fleischbällchen vom Bären.

Ragnar Lundmark wählte zum Appetitanregen einen *Koskenkorva*, obwohl, wie er fand, auch ein dänischer Aquavit, zum Beispiel *Aalborger*, ausgezeichnet gepasst hätte. Die Wahl des Getränkes zum Essen war problematischer, denn in Kemijärvi gab es keine besonders große Auswahl an kräftigen – aber nicht zu schweren – Rotweinen. Ragnar hätte liebend gern einen Rotwein aus der Region Médoc getrunken, speziell Château Lafite-Rothschild, der nach seinen Erfahrungen wirklich vorzüglich war. Wie dem auch sei, er akzeptierte den vom Restaurant empfohlenen Bordeaux, einen Château St.-Emilion von 1993. Hermanni Heiskari kostete den Wein und erzählte aus jener Zeit.

»Ich weiß nicht mehr genau, ob es 1993 oder später war ..., da gab es oben in der Kessimark einen Riesenknatsch in Sachen Naturschutz. Ich arbeitete dort beim Straßenbau, wir bauten eine Brücke über den Paatsjoki. Da rannten am Ende mehr Fernsehfritzen als Bauarbeiter rum.«

Junge Naturschützer hatten sich an die Bagger gekettet, und es war zu etlichen Auseinandersetzungen mit deren Fahrern gekommen. Einer der Baggerfahrer war tätlich geworden gegen die schmächtigen Verteidiger der Ödwälder, die sich ihrerseits hartnäckig an die Maschinen geklammert hatten.

»Na gut, wir flößten einem der übelsten Baggerfahrer schließlich so viel Schnaps ein, dass er sternhagelvoll war. *Koskenkorva*, den benutzten auch wir damals, und es floss eine ganze Menge davon, ehe der Mann reif war. In der Nacht trugen wir ihn zum Bagger und ketteten ihn ebenfalls an, zufällig direkt neben einem Mädchen. Morgens brachten wir den beiden Wasser und Butterbrote.«

Der Baggerfahrer war morgens erwacht und hatte notgedrungen mit dem Mädchen reden müssen, über Naturschutz, versteht sich. Und als schließlich gegen Mittag die Polizei die Ketten durchtrennt hatte, waren die beiden Arm in Arm in die Baubaracke gegangen, um zu schlafen.

»Dieser Fahrer wurde nachher ein ganz verbissener Naturschützer. Heute reist er von einer Versammlung der Grünen zur anderen und hält große Vorträge. Die beiden haben geheiratet und sogar zwei Kinder gekriegt. Neuerdings fährt die Frau den Bagger, macht angeblich zwei Schichten hintereinander und stillt dabei sogar noch das Baby. Aber ihr neugrüner Kerl rennt nur noch zu Versammlungen und propagiert feurig den Schutz der lappischen Wildnis.«

11

In heiterer Stimmung spazierten Hermanni Heiskari und Ragnar Lundmark vom Restaurant zu ihrem Nachtquartier. Es regnete in Strömen. Ragnar unter seinem Regenschirm äußerte sich wie folgt:

»Ich schätze, dass bei solchem Wetter sogar die Engel nasse Flügel bekommen.«

»Die Engel sind fromme Vögel, sie schicken sich gelassen in alles, was von oben gegeben wird«, erklärte Hermanni, wobei er den Pfützen auf dem Gehsteig auswich.

Ragnar erklärte, irgendwo gelesen zu haben, dass ihre Flügel nicht annähernd ausreichten, sie in die Luft zu tragen, falls die Engel wirklich fliegen wollten. Die Flügel waren viel zu klein, um einen Körper von Menschengröße zu tragen.

»Ja, was das Fliegen der Engel angeht, da bedarf es des Glaubens«, bestätigte Hermanni. »Ein Engel mit dem Gewicht eines Menschen müsste Flügel von mindestens sieben Metern und einen Schwanz von mindestens drei Metern Länge haben.«

Darauf meinte Ragnar, dass die Abziehbilder der kleinen Mädchen recht wüst aussehen würden, wenn darauf die Gesetze der Aerodynamik berücksichtigt würden.

Im Hotel angekommen, setzten sie die Unterhaltung über das Thema noch eine Weile fort. Hermanni fand, dass die

Engel recht nichtssagend waren, verglichen etwa mit den Zentauren. Wenn ein Wesen den Oberkörper eines Menschen und den Unterkörper eines Pferdes hatte, so war das eine glänzende Kombination. Ragnar gab ihm recht. Die Zentauren, diese absonderlichen Wesen aus der griechischen Mythologie, waren stark und kraftvoll und besser proportioniert als Engel.

»Beim Holzfällen könnte der Zentaur besser funktionieren als ein Mann und ein Pferd zu zweit«, sinnierte Hermanni. »Er würde ziehen und wäre gleichzeitig sein eigener Kutscher.«

»Aber heutzutage würden natürlich auch die Zentauren zum Schlachthof abtransportiert und an ihrer Stelle Maschinen angeschafft«, gab Ragnar zu bedenken.

»Der Schlachthof würde den Bauern für Zentauren nur kümmerliche zwanzig Mark pro Kilo zahlen.«

»Ich wette, dass Engelfleisch weit teurer wäre, womöglich bis zu zweihundert Mark pro Kilo, was auch sicherlich angemessen wäre«, vermutete Ragnar und wünschte dann eine Gute Nacht. Bevor er in sein Zimmer ging, erkundigte er sich noch:

»Bleiben wir für längere Zeit hier in Kemijärvi, oder fahren wir morgen weiter?«

»Hauen wir ab zum Pyhätunturi.«

Ragnar Lundmark wollte für diesen Zweck ein Auto mieten, aber Hermanni Heiskari fand es lustiger, mit dem Taxi zu fahren, denn so war er es als fliegender Holzfäller gewöhnt. Wenn er Geld hatte, brauste er im Taxi durch die Gegend; wenn er knapp bei Kasse war, nahm er den Linienbus, und war er ganz klamm, ging er auch schon mal hundert Kilometer zu Fuß. Ein Holzfäller trampte nie.

Aus Ragnars Sicht war es entschieden zu viel verlangt,

solche Strecken zu Fuß zurückzulegen. In jungen Jahren war er einmal von Inkoo zur Tanzbühne von Degerby zu Fuß gegangen, elf Kilometer waren es gewesen. Nie wieder hatte er später bei ähnlichen Anlässen auf ein Fortbewegungsmittel verzichtet, der einsame Fußmarsch war eine zu schlimme Erfahrung gewesen. Hermanni erklärte, dass für einen Holzfäller wie ihn ein Hundertkilometermarsch durch die Wildmark nichts Besonderes sei, wenn er aber mit leeren Taschen eine öffentliche Straße entlangtraben müsse, würde ihm das aufs Gemüt schlagen.

»Wenn ein Holzfäller auf der Landstraße trabt, wissen alle sofort, dass der Kerl keinen Pfennig Geld hat. Das macht einen fertig.«

Der Fahrer des Taxis war zufällig Hermannis alter Bekannter Martti Husula, mit dem er einst in den Siebzigerjahren zusammen in Pelkosenniemi Bäume gefällt hatte. Husulas Mutter war in der vergangenen Woche gestorben, sein Vater war bereits im Krieg gefallen.

»Bin mächtig froh, dass Mutter noch auf die Kanarischen Inseln gereist ist, bevor sie starb. Sie war im Juni zwei Wochen dort, und angeblich hat sie dermaßen gesoffen, dass man sie jeden Abend ins Hotel tragen musste.«

Ein Taxifahrer verdient heutzutage wenig. Seit die Maschinen den Forst beherrschen und die großen Waldarbeitsplätze weggefallen sind, gibt es nicht mehr genug fliegende Holzfäller, die im Taxi herumgondeln können. Die Fahrer müssen sich mit zufälligen Touren und winterlichen Schülertransporten begnügen.

»Hauptsächlich kutschiere ich Alte und Kranke. Die Säufer fahren selber und werden nur selten erwischt, denn Polizisten gibt es hier noch weniger als Ärzte.«

Hermanni erklärte, dass er persönlich gern mit dem Taxi

fuhr, er tat es immer, wenn er Bedarf hatte und gut bei Kasse war.

»Du vielleicht, aber von den alten Holzfällern gibt es nur noch ganz wenige, das reicht nicht zum Leben.«

Im Hotel am Pyhätunturi nahmen sie wieder zwei Zimmer. Platz war genug, denn der Regen hielt die Urlauber fern. Am Abend trafen sich die Reisegefährten erneut zu einem guten Essen im Restaurant. Ragnar Lundmark bestellte einen Schneehuhntopf. Hermanni erzählte, dass er mal vorübergehend hier oben im Norden Schneehühner gefangen hatte. Er hatte als Tagelöhner für einen Lappländer gearbeitet, war täglich fünf Meilen auf Skiern den Postweg abgelaufen und hatte seinem Arbeitgeber am Abend einen Sack mit Schneehühnern gebracht. Der Alte hatte sie nach Norwegen verkauft, seinen Knechten aber billige Köhler zu essen gegeben, die er auf dem Rückweg aus Norwegen mitgebracht hatte.

Hermanni konnte perfekt die Stimme eines Schneehuhns nachahmen. Die Serviererin war sehr verwundert und öffnete schnell sämtliche Türen, um den verirrten Vogel wieder in die Freiheit zu entlassen.

Das Hotel am Pyhätunturi hatte eine so gute Auswahl an Weinen, dass Ragnar zum Schneehuhnbraten eine Flasche elsässischen Dopff-Weißwein bestellen konnte. Er erzählte, dass viele Leute zu Wildgerichten aromatische Rotweine mit reichem Geschmack tranken, wovon er selbst aber im Alter abgekommen war. Ein abgerundeter Weißwein ließ dem leicht wilden Geschmack, speziell von Vögeln, genügend Raum, sodass das Ganze zu einer kulinarischen Einheit verschmolz.

»Selbstverständlich muss man berücksichtigen, welche Soße zum Fleisch gereicht wird. Wenn der Vogel in einer

sehr würzigen Soße zubereitet wurde, passt Weißwein
natürlich nicht, dann muss man einen Rotwein wählen,
der mit der Soße harmoniert.«

Hermanni Heiskari schnitt sich ein Stück vom mürben
Fleisch ab und trank weichen Wein dazu. Er seufzte zufrieden und konnte nicht umhin zu bemerken:

»Das herrschaftliche Leben hat wahrlich Stil. Wie anders
geht es da den bedauernswerten Arbeitslosen.«

Ragnar Lundmark wollte wissen, was die Arbeitslosen im
Innersten über ihre Situation dachten. Hatten sie wirklich
keine Zukunftshoffnung und keine seelische Festigkeit? Er
hatte den Eindruck gewonnen, dass diese Leute bis Mittag
im Bett lagen, und wenn sie sich dann endlich aufrappel-
ten, schleppten sie sich apathisch in die nächste Eckkneipe,
um mit anderen ebenso elenden Versagern Bier zu schlürfen. Dann quollen sie auf wie russische Matroschkas, und
sowie sie nur ein bisschen Geld in die Finger bekamen,
soffen sie wie verrückte Kosaken.

Hermanni Heiskari bestätigte, dass Arbeitslosigkeit depri-
mierte und ständiger Geldmangel wütend machte. Aber
die meisten Arbeitslosen suchten sich irgendeine Beschäftigung, da sie schließlich über genügend Zeit verfügten.
Sie bauten Vogelhäuschen, teerten Boote, angelten Saiblinge oder retteten nerzbekleidete steinreiche Reederinnen,
die vom Himmel auf das Eis großer Seen fielen. Trotzdem
erlahmten viele durch die Untätigkeit und lagen einfach
auf dem Sofa, und wer sich einmal an diesen bequemen
Lebensstil gewöhnt hatte, kam nicht so schnell wieder
davon los.

Er selbst, so Hermanni, hatte nie herumgelegen, das
erschien ihm irgendwie nicht natürlich.

Ragnar fand, dass die finnischen Arbeitslosen rechte

Schlappschwänze sein mussten, da sie keinen Aufstand anzettelten.

Hermanni Heiskari hielt seinen Weißwein gegen das Licht, ließ die Flüssigkeit in dem schlanken Glas blinken und bekannte dann:

»Da wir gerade beim Thema sind, kann ich Ihnen verraten, dass ich schon seit einigen Jahren rein hobbymäßig den Volksaufstand vorbereite.«

Hermanni erklärte, dass er eigentlich ein vom Staat bezahlter Revolutionär sei, denn er lebte ja hauptsächlich vom Arbeitslosengeld und konnte sozusagen nebenberuflich die Revolte planen. Er hatte erkannt, dass die halbe Million Arbeitsloser zusammen mit all jenen, die auf andere Weise aus ihrer Lebensbahn geworfen worden waren, insgesamt mindestens eine Million Menschen, eine verborgene Armee darstellten, die eine schreckliche Kraft hätte, wenn jemand sie freisetzte.

»Ich denke an eine Art Volksarmee, die dazugehörigen operativen und taktischen Pläne habe ich ausgearbeitet. Sie sind ja Oberst, könnten Sie die Pläne prüfen?«

Ragnar lachte. Diese lappländischen Kerle hatten einen sehr speziellen Humor, das war mal Fakt.

»Trinken wir also auf den Aufstand«, sagte er feixend und stieß mit Hermanni an.

»Auf den künftigen Bürgerkrieg«, antwortete Hermanni Heiskari. Seine Miene war dabei allerdings todernst.

12

Nach ein paar Tagen reisten die beiden nach Luosto weiter, wo sie wieder Schneehuhn speisten – diesmal Schneehuhnbrust in Kognak-Wild-Soße. Die Soße war, außer mit Kognak, nur mit ein paar Wacholderbeeren und Rosmarin gewürzt, zusätzlich wurde in einem gesonderten kleinen Schälchen Ebereschengelee gereicht. Diesmal nahmen sie vorweg keinen Schnaps, sondern tranken zum Essen einen leichten Chablis aus Burgund.

Zur Nachspeise, einem Parfait mit Moltebeerengelee, genossen sie einen Moltebeerenlikör, und schließlich beendeten sie die Mahlzeit mit schwarzem Kaffee und ein paar Kognaks.

Es war bereits später Abend, draußen fiel leiser Regen. Vor dem dunklen Hintergrund des Waldes zeichneten sich die grauen Gestalten zweier Rentiere ab. Sie standen durchnässt und mit hängenden Köpfen hinter dem Parkplatz, Insekten hatten sie den ganzen Sommer hindurch geplagt, trotz des regnerischen Wetters. Hermanni erzählte, dass nach dem Tode eines alten Holzfällers dessen Seele in einem Rentier weiterlebte.

»Wer mögen die armen Viecher drüben am Waldrand sein? Eines von ihnen ist vielleicht Kurko, der König der Wälder. Ein Quartalssäufer erster Güte, im nüchternen Zustand verrückt nach Arbeit, und betrunken nur verrückt.«

Ragnar meinte, dass das zweite Rentier der legendäre Schmucke Jussi sein könnte, aber Hermanni war der Meinung, dass der nicht mal nach seinem Tod so jämmerlich aussehen würde. Eher wäre er ein prächtiger wilder Bock. Dann fiel ihm ein, dass der Schmucke Jussi als Folge der Kinderlähmung ein verkrüppeltes Bein gehabt hatte und dass er auch sonst recht hässlich gewesen war. Falls der Schmucke Jussi im Augenblick seines Todes zu einem wilden Ren geworden war, so hatte das unter Umständen ein verkürztes Hinterbein.

Die beiden Männer saßen an einem Seitentisch des Restaurants, die Nachbartische waren leer. Ragnar Lundmark kam jetzt auf den Volksaufstand zu sprechen, den Hermanni unlängst erwähnt hatte, und fragte geradeheraus, ob diese Revolte der Arbeitslosen ein Scherz und damit der humorvolle Abschluss eines angenehmen Abends gewesen war.

»Für mich ist der Gedanke durchaus nicht zum Lachen. Ich plane diesen Krieg schon seit einigen Jahren, und er ist alles andere als ein Scherz.«

Ragnar fand die Idee bedenklich. Hatte denn die finnische Arbeiterklasse gar nichts aus den Ereignissen von 1918 gelernt? Musste das Volk erneut zu einem blutigen Bürgerkrieg angestachelt werden?

Darauf erklärte Hermanni, dass es diesmal nicht um die Arbeiterklasse ging, sondern, im Gegenteil, um die Klasse der Arbeitslosen. Ein Blutvergießen wünschte auch er sich nicht, aber andererseits war es unmöglich, einen Krieg oder auch nur einen Aufstand zu planen, der unblutig wäre.

»Das ist es ja gerade. Man müsste mit blauen Flecken davonkommen und auch noch den Sieg einfahren«, sinnierte Hermanni Heiskari über seinen Krieg.

Bei einem Glas Kognak ließen sich leicht Kriegspläne schmieden. Wie viele Kriege waren wohl durch das inspirierende Aroma des Kognaks initiiert worden? In Ragnars und Hermannis Gläsern blinkte französischer Courvoisier, eigentlich norwegischer, wie Ragnar erwähnte, denn die Norweger hatten nach dem Zweiten Weltkrieg die Destillationsanlage und die Marke gekauft. Natürlich wurde der Courvoisier nach wie vor in Frankreich hergestellt, denn im hohen Norden gedieh die Traube ja nicht. Courvoisier war, soweit sich Ragnar erinnerte, Napoleons Lieblingsgetränk gewesen, er hatte sich einen Vorrat auf dem Schiff mitgenommen, mit dem er ins Exil fuhr. Das Getränk hatte also eine ausgeprägte militärische Vergangenheit.

Hermanni war der Meinung, dass den Arbeitslosen eine wirkliche Beschäftigung geboten werden musste, und die brachte ein Aufstand stets mit sich. Die Leute mussten anderes zu bedenken haben als die ewige Geldknappheit und das Gefühl des eigenen Versagens.

»Ist ein Krieg nicht dennoch ein zu starkes Mittel gegen das Versagen? Im Krieg wird mehr als nur die Zeit totgeschlagen«, gab Ragnar Lundmark zu bedenken.

»Für einen Oberst sind Sie ziemlich sentimental. Ich hatte gedacht, dass Sie sich mit mehr Eifer an der Planung beteiligen.«

»Nicht alle Oberste sind kriegswütig.«

»Aber bedenken Sie, nach einem geglückten Aufstand würden Sie ohne Weiteres General!«

Ragnar fragte, ob sich Herr Heiskari zum Diktator Finnlands einsetzen lassen würde, falls der irrsinnige Plan gelingen würde. Hermanni verneinte den Gedanken. Auf gar keinen Fall.

»Warum planen Sie dann den Volksaufstand?«

»Als Arbeitsloser hat man jede Menge Zeit, so konnte ich diese Vorbereitungen treffen, damit wir dann im Ernstfall gewappnet sind. Spontane Revolten enden immer mit einer Niederlage, nur die gut geplanten sind erfolgreich.« Ragnar Lundmark fragte sich, ob Hermanni Heiskari vielleicht nur ein einfacher Mann aus dem Volk war, der sich an einem wahnwitzigen Gedanken ergötzte, um ihn, Ragnar, zum Besten zu halten. Aber egal, warum sollte er sich nicht an diesem Spiel beteiligen, solange es nur ein Tischgespräch zwischen ihnen beiden blieb.

Hermanni erzählte, dass die Arbeitslosen nach bewährter Revolutionsmanier kleine voneinander getrennte Zellen bilden könnten, die drei oder höchstens vier Mitglieder und keinen Kontakt zu den anderen Zellen hätten, sondern von außen gelenkt würden. Die heutige Druck- und Datentechnik eigne sich vorzüglich für revolutionäre Aktivitäten. Sogar das Internet konnte man nutzen, und die Druckkosten wären nicht hoch. Handys, Radiosender, sogar die Fernsehwerbung und die Presse ließen sich unter bestimmten Voraussetzungen für die Verbreitung der Idee einspannen.

»Unter den Arbeitslosen gibt es gut ausgebildete Spitzenkräfte aus allen wichtigen Branchen, speziell Computerfachleute und Journalisten in rauen Mengen. An Offizieren herrscht allerdings Mangel, sodass Sie als Oberst jetzt die Chance Ihres Lebens erhalten.«

Ragnar Lundmark wand sich, als er spürte, wie die ihm übertragene Verantwortung weiter wuchs.

»Ich bin ja bereits aus dem aktiven Dienst ausgeschieden.«

»Umso besser, dann ist der Posten kein Hindernis, wenn die Kanonen in Stellung gebracht werden.«

Hermanni Heiskari erläuterte seine Pläne weiter:

»Den revolutionären Zellen der Arbeitslosen werden sofort interessante Aufgaben übertragen. Sie müssen natürlich ideologische und militärische Selbsterziehung betreiben, außerdem sollen sie ganz praktisch dazu verpflichtet werden, den Feind zu beobachten und über dessen Aktivitäten zu berichten.«

Unter den Feinden, also den Gegnern des Volksaufstandes, waren laut Hermanni natürlich die Arbeitgeber zu verstehen, all jene Unternehmer, die ihre Fabriken automatisierten und die Arbeiter wegrationalisierten. Das Kapital schafften sie bei jeder passenden Gelegenheit ins Ausland, und das arme Volk ließen sie kaltschnäuzig leiden. Die Arbeitslosen waren überflüssig. Ein Bauer schlachtet seine Kuh, und ein Fabrikant entlässt seinen Angestellten. Es ist dasselbe, beides gleich schlimm.

Die Zellen der Arbeitslosen würden damit beginnen, jene teuflischen Bosse zu beobachten, ganz im Stil der Geheimpolizei in der Zarenzeit. Das wäre spannend und sehr wirkungsvoll. Industrielle, Spekulanten, Erbschleicher, Sanierer und Finanzhaie würden in drei Schichten beobachtet, unablässig, Tag und Nacht. Permanent würde ihnen ein Schatten folgen. Diese grausame und wortlose Bedrohung würde sie binnen Kurzem nervlich ruinieren.

»Man stelle sich vor, so ein feiner Pinkel kommt abends aus dem Büro nach Hause, und hinter dem Gartenzaun der Villa steht im Schneefall ein einsamer verbitterter Arbeitsloser, dessen Zigarette in der Dunkelheit glüht. In der Nacht wird der Bewacher ausgetauscht, und morgens, wenn der Ausbeuter zur Arbeit fahren will, verraten die Fußspuren im Schnee, dass der Beobachter durchs Fenster ins Haus gelugt hat, die ganze Nacht hindurch.«

Hermanni Heiskari trank erregt von seinem Courvoisier.

Er behielt den Kognak lange auf der Zunge, ehe er ihn hinunterschluckte.

Sechs Damen drängten schwatzend ins Restaurant, allesamt sympathisch und offenbar aus demselben Betrieb, da sie einander gut kannten. Sie bestellten sich Kaffee und dazu einen Likör. Als sie das Bestellte erhalten hatten, prosteten sie sich eifrig zu. Hermanni und Ragnar schnappten einzelne Worte und sogar ganze Sätze ihres Gesprächs auf. Die Frauen schienen sich über die Arbeitslosigkeit zu unterhalten, worüber auch sonst. Eine von ihnen äußerte sich verwundert darüber, dass es in Finnland wegen der furchtbaren Massenarbeitslosigkeit noch nicht geknallt hatte. Darauf meinte die Älteste in der Gruppe, dass es zum Aufstand kommen werde, wenn sich nichts ändere.

»Es gibt Krieg, lasst euch das gesagt sein.«

»Ist es nicht schrecklich, wenn anständige Menschen nach Brot anstehen müssen? Genau wie in Russland oder irgendwo in Ruanda. Denkt nur!«

»Darauf trinken wir!«

»Auch Heikki, mein Mann, wurde letzte Woche entlassen. Ich habe überhaupt keine Ahnung, wie wir klarkommen sollen. Aber reden wir nicht mehr davon.«

Ragnar entwickelte ein so reges Interesse an dem Gespräch, dass er zur Toilette ging und auf dem Rückweg bei den Frauen stehen blieb, um ein wenig mit ihnen zu plaudern. Als er wieder Hermanni gegenüber Platz genommen hatte, erzählte er:

»Sie sind Unternehmerinnen aus der Parfümeriebranche, kommen aus dem mittleren Ostbottnien, aus Kokkola und Umgebung, und suchen auf der gemeinsamen Reise nach neuen Impulsen für ihre Führungstätigkeit.«

Als die Frauen das Restaurant verlassen hatten und in ihren

Bus gestiegen waren, referierte Hermanni weiter über den Plan für seinen Aufstand.

»Man könnte ohne Weiteres Zigtausend solcher Zellen zum Spionieren einsetzen. In Finnland haben wir fünfzigtausend sogenannter Kasinokapitalisten, also könnte man jedem von ihnen ein eigenes Beschatterteam verpassen, das sein Opfer Tag und Nacht beobachtet.«

Ragnar Lundmark wurde klar, dass das zumindest lange Wartelisten für Magenoperationen zur Folge hätte. Der Katarrh würde Finnlands reiche Herren plagen, bei den Opfern der Bespitzelung würden die Magengeschwüre aufbrechen. Er konnte sich gut vorstellen, welche Wirkung diese Form des Kampfes hätte. Hatten nicht gerade die Nazis in den Dreißigerjahren diese Art von psychischem Terror gegenüber den Juden angewandt? Bald darauf wurden dann die Schaufensterscheiben der jüdischen Geschäfte eingeschlagen, und die Familien wurden in Viehwaggons gepfercht und in Konzentrationslager transportiert, wo man sie tötete. Noch bedrohlicher war die Geheimpolizei der Sowjetunion gewesen, überall in dem Riesenstaat hatte es nur so von ihren Spitzeln gewimmelt. Kein Wunder, dass dieses Vorgehen zu einem Weltkrieg geführt hatte.

Hermanni Heiskari gab zu, dass seine Idee nicht neu war. Die Methode war lediglich schonender, obwohl es sich natürlich um Psychoterror handelte, sofern man denn dieses hässliche Wort benutzen wollte. Aber wenn man in den Kampf zog, war jedes Mittel erlaubt, oder besser gesagt, man durfte auch zu ungesetzlichen Mitteln greifen.

»Krieg ist hässlich und vulgär. Helden sind nur die, die am Leben bleiben und denen es gelingt, sich aus den Konflikten herauszuhalten«, ließ er verlauten. »Bei meinem Plan wird das ganze System auf den Kopf gestellt. Momentan überwacht uns der große Bruder ..., die Armee, die Polizei, der Arbeitgeber, die Kirche, die Rentenanstalt, die Sozialbehörde, das Kapital, das Geld, die Herren ..., und ich finde, dass endlich mal die Arbeitslosen an der Reihe sein sollten, den großen Bruder zu überwachen.«

Ragnar gab zu bedenken, dass die »Herren« die Möglichkeit hätten, die Polizei einzuschalten, oder zumindest könnten sie private Sicherheitsleute engagieren, die all die Spione aus ihren Vorgärten verscheuchen und wieder in die Brotschlangen zurückjagen würden.

Hermanni schnaubte, dass die Polizei gegen Hunderttausende Arbeitslose machtlos wäre, selbst wenn der gesamte Polizeiapparat auf die Straße geschickt würde. Und die Sicherheitsleute hätte man so schnell weggefegt wie leichten Staub, wenn erst mal alles richtig liefe. Ein paar Dutzend handfester Arbeitsloser hätten jene bezahlten Leibwächter rasch weichgeklopft, eine reine Aufwärmübung.

»Und Motorradgangs?«

Hermanni fand, dass es zu wenige solcher Gangmitglieder gab, außerdem waren auch die seines Wissens längst arbeitslos und vom Hass auf die Herren durchdrungen.

Ragnar Lundmark ahnte, was das Ergebnis des »Überwachungsterrors« sein würde. Die davon betroffenen »Herren« würden das Land verlassen, und zugleich würde sich das Kapital aus Finnland zurückziehen. Ein unglaubliches Chaos würde entstehen. Aber das war wohl eines der Ziele von Hermannis Plan?

»Die Geldleute und das Kapital würden flüchten, das ist klar. Aber jene, die bleiben würden, wären brave Kerle, und die Arbeitslosen könnten ihnen ihre Bedingungen diktieren. Und garantiert würde sich wieder Arbeit finden. Die Sanierer würden auf einmal erkennen, welche Menge an unerledigter Arbeit es gab.«

Hermanni war der Überzeugung, dass sich anstelle der ehemaligen Herren rasch und mühelos neue finden würden. Es gab genug Interessenten, die herrschaftlich leben wollten, unabhängig davon, ob die Zeiten unruhig waren oder nicht. Das Kapital kehrte stets zurück, es verschwand nicht, sondern machte nur mal einen Ausflug in die Welt, um auf bessere Zeiten zu warten. Wenn sich die Situation änderte, wäre das Geld im Bruchteil einer Sekunde wieder da und würde das Land überschwemmen.

»So einfach sind die Pläne, die ich habe«, resümierte er und starrte nachdenklich in sein Kognakglas.

Ragnar Lundmark musste zugeben, dass Hermannis Pläne tatsächlich einfach waren. Bei näherem Nachdenken wurde ihm kalt ums Herz. Die Zeit, da die Arbeitslosen Abordnungen entsandten, war tatsächlich vorbei. Außerdem war Napoleon Korporal gewesen, Hitler ebenfalls, Stalin ein Priesteranwärter, aber Hermanni war immerhin ein Herr Unteroffizier.

In diesem Augenblick explodierte in der Küche des Restaurants ein Druckkessel, die Fenster flogen in den Regen hinaus, und der entsetzte Koch und seine Gehilfen rannten quer durchs Restaurant ins Freie, gefolgt von einer dicken Rauchwolke. Hermanni Heiskari und Ragnar Lundmark betrachteten also ihre Mahlzeit als beendet. Als sie die Rechnung bezahlt hatten, zogen sie sich gedankenvoll zur Nachtruhe in ihre Zimmer zurück.

13

Den nächsten Rapport an seine Nichte Lena wagte Ragnar Lundmark nicht zu faxen, denn womöglich hätte ihn ein Unbefugter gelesen. So beschloss er also, die Zeilen als Einschreiben nach Maarianhamina zu schicken.

»Tankavaara, 15. 7.

Liebe Lena!

Bestimmt wunderst du dich, warum ich dir dieses Mal kein Fax geschickt habe. Der Grund ist, dass dieser Brief Dinge enthält, die im schlimmsten Falle als Landesverrat angesehen werden könnten. Während des Krieges stand darauf die Todesstrafe, wie du als Generalstochter sehr genau weißt. Bewahre diese Zeilen also nicht auf, sondern verbrenne sie, sowie du sie gelesen hast.

Deinen Anweisungen entsprechend sind wir wieder nach Lappland zurückgekehrt, momentan weilen wir im Goldgräberdorf Tankavaara (Reiseroute und Quittungen liegen bei). Das Quartier ist bescheiden, aber sonst wirkt dieses Touristenzentrum mit all seinen Auswüchsen des Goldfiebers sehr interessant. Herrn Heiskaris sittliche Erziehung ist auf einem guten Weg. Der Mann ist doch nicht ganz so ordinär, wie er zunächst wirkte, vor allem wenn er betrunken war. Wahrscheinlich hat ihm die Kritik, die sein Benehmen hervorrief, zu denken gegeben, nunmehr versucht er sich in seine Rolle zu fügen. Alkohol vermag er durchaus auch maßvoll zu genießen, und die Manieren, die ich ihm vorsichtig beibringe, macht er sich leicht und problemlos zu eigen. Ich habe ihm fürs Erste einen Anzug und ein paar Krawatten sowie Schuhe, einen Koffer und andere notwendige Dinge gekauft. Außerdem versuche ich ihn dazu anzuhalten, die Hochsprache zu benutzen und auf sein äußeres Erscheinungsbild zu achten – auf die Art zu gehen, die Haltung und anderes. Er wirkt jetzt wie ein ganz anderer Mann, groß und auch recht gut aussehend, und er benutzt sogar, wenn auch murrend, das Rasierwasser, das ich ihm besorgt habe.

Du siehst also, dass er am Ende einer einjährigen Schulung sicherlich ein ganz passabler Gentleman sein wird, den du dann ganz nach Wunsch für deine eigenen Zwecke nutzen kannst. Natürlich lässt seine Sprache zu wünschen übrig, und von der feineren Etikette hat er kaum eine Ahnung, aber er besitzt eine gute Merkfähigkeit und vor allem den erkennbaren Wunsch, die diskreten Ratschläge, die ich ihm gebe, zu beherzigen.

In dieser Hinsicht läuft also alles so, wie du es gewünscht hast, wenn nicht sogar besser. Aber jetzt ist ein ganz ungeheuerliches Problem aufgetaucht. Ich bin geradezu schockiert und werde versuchen, dir die Idee, die Herr Heiskari mir vor ein paar Tagen vortrug, kurz zu erläutern. Die Reise hat eine ganz neue Wendung genommen, die ich als sehr gefährlich empfinde.

Herr Heiskari teilte mir nämlich unlängst mit, dass er schon seit zwei Jahren den Plan schmiedet, eine Art Volksaufstand der Arbeitslosen in Finnland herbeizuführen. Nach seinen eigenen Worten besitzt er weit gediehene Pläne für eine Revolte, in der sich die verbitterten Arbeitslosen gegen die herrschenden Kreise erheben. Herr Heiskari hat mir diese seine Gedanken extra deshalb anvertraut, weil er glaubt, dass ich Oberst bin. Ach, wie sehr ich es doch bereue, dass ich nur zum Spaß behauptet habe, Oberstleutnant zu sein, wenn auch nicht mehr aktiv im Dienst. Jetzt hegt Herr Heiskari die Vorstellung, dass ich in meiner Eigenschaft als Stabsoffizier ganz nebenbei sein militärischer Berater werde, mich also in diesem äußerst zweifelhaften Projekt mit engagiere. Wie du dich wohl erinnerst, bin ich vom Rang her lediglich Leutnant, was Herr Heiskari nicht weiß. Ich kann ihm natürlich meine Notlüge zum gegenwärtigen Zeitpunkt nicht enthüllen, und so bin ich ohne eigenes Dazutun in diese bedrohliche Verschwörung mit hineingeraten.«

An dieser Stelle seines Schreibens erläuterte Ragnar Lundmark, wie Hermanni sich die ersten Schritte seines Planes vorstellte, also die Bildung der revolutionären Zellen und die planmäßige Überwachung der ökonomischen Oberklasse mit dem Ziel, sie in Panik zu versetzen und aus dem Land zu treiben. Ragnar schrieb, dass Hermanni versprochen hatte, ihm das gesamte Material zu zeigen, das er in der Wildnis bei Porttipahta versteckt hatte, damit es auch bestimmt geheim bliebe. Als Ragnar gefragt hatte, ob der einjährige Urlaub, den Lena Lundmark ihrem Lebensretter finanzierte, ihn nicht von seinen Kriegsplänen abbringen könnte, hatte Hermanni erwidert, dass dieser freie Unterhalt und das kostenlose Reisen wie ein Geschenk des Himmels für ihn waren. Er hatte jetzt ein Jahr lang Zeit, durch die Welt zu fahren, Eindrücke zu sammeln und an seinen Plänen zu feilen, und zu allem Überfluss war sein Reisegefährte oder Butler auch noch Oberst, all das war ein ausgesprochener Glücksfall für sein Projekt. Außerdem war die revolutionäre Situation in Finnland noch nicht weit genug entwickelt, was aber in ein, zwei Jahren zwangsläufig der Fall sein würde.

»Liebe Lena! Wie du merkst, haben die Dinge eine wirklich besorgniserregende Wendung genommen. Du kannst mir glauben, dass ich das Gefühl habe, in einem tiefen Schlamassel zu stecken. Ich möchte mir gar nicht ausmalen, was geschieht, wenn dieser Herr Heiskari seine irrsinnigen Absichten verwirklicht. Man kann sich leicht denken, dass dies selbst im besten Falle zu einem langen Blutvergießen führen würde. Mindestens hunderttausend Finnen würden in einem schrecklichen Bürgerkrieg ums Leben kommen, und dafür wäre dann auch ich mit verantwortlich. Jetzt hoffe ich, dass du mir neue Anweisungen schickst und mir aus der Klemme hilfst. Was soll ich mit Herrn Heiskari machen? Kann ich ihn einfach hier in Lappland mit seinen irren Plänen zurücklassen und so weit wegfliegen, wie es die Geldreserven erlauben?«

Am Schluss seines Briefes teilte Ragnar Lundmark mit, dass er jetzt von Tankavaara aus mit Hermanni Heiskari nach Porttipahta fahren würde, um die Pläne für den Aufstand aus dem Versteck zu holen, anschließend würden sie sich an irgendeinen ruhigen Ort begeben, um sie zu studieren, wahrscheinlich nach Utsjoki. Er bat seine Nichte, ihn im dortigen Hotel anzurufen oder ihm einen Brief zu schicken, als Einschreiben. Schließlich hob er noch einmal den außerordentlich heiklen Charakter seines Briefes hervor und bat Lena erneut, diesen sofort nach der Lektüre zu vernichten.

In Tankavaara wimmelte es von Touristen, von allerlei Lapplandverrückten und bierseligen Gestalten. Ragnar und Hermanni besichtigten die Außenanlagen des Goldgräbermuseums, ebenso auch die Ausstellung in den Innenräumen, die sehr interessant war. Ragnar fragte sich jedoch, warum die jungen finnischen Goldgräber amerikanische Schlapphüte trugen und sich benahmen, als stammten sie aus dem Klondike des letzten Jahrhunderts. Dabei hatten der Goldrausch von Lappland und der von Amerika nichts weiter gemeinsam als die Geldgier.

Im Café *Wanha Waskoolimies* stärkten sie sich vor der Weiterfahrt mit einem deftigen Beefsteak »Prospektor« aus gehacktem Rentierfleisch, und als Nachspeise gab es »Petronellas Traum«, eine Waffel mit lappländischen Moltebeeren und Sahne. Dann nahmen sie sich ein Taxi und fuhren gut zwanzig Kilometer südwärts, anschließend von Porttipahta aus noch einmal knapp zehn Kilometer am künstlichen See entlang bis zum Tankajoki und zu Hermannis Hütte. Im Taxi verloren sie kein Wort über den Zweck der Fahrt, denn schließlich waren sie unterwegs, um Kriegsgeheimnisse aus dem Versteck zu holen.

Am Ziel erwartete sie ein trauriger Anblick. Hermannis Hütte war bis auf die Grundmauern abgebrannt, ebenso der Schuppen mitsamt der Axt und dem übrigen Inhalt. Waren die Gebäude absichtlich angezündet worden? Wer steckte hinter der Brandstiftung?

»Hab keine Ahnung, nicht mal die Zeitung hat was darüber geschrieben«, behauptete der Taxifahrer, dabei kannte er Hermanni, er hieß Tuure Honkanen und stammte aus Vuotso.

Hermanni Heiskari untersuchte die Ruinen. Die Asche war bereits kalt, mehrfach vom Regen durchnässt. Das Feuer hatte vermutlich vor ein, zwei Wochen gewütet. Absolut alles war verbrannt, auf dem Hof lag nicht mal gerettetes Inventar. Die Flammen waren so heftig gewesen, dass der Blechherd der Sauna völlig verbogen und nicht mehr zu erkennen war, und der Wasserkessel war in der Hitze geplatzt. Die Brandmauer hatte sich nach unten gebogen, auf ihr zeigte sich frischer roter Rost. Hermanni musterte den Hof, dort wuchs grünes Gras, so wie vorher, und die Wege waren unversehrt. Also war gar kein Feuerwehrauto hier gewesen. So löste sich also das Heim eines Wandersmannes in Rauch auf, ohne die kleinste Notiz in der Zeitung, und noch nicht einmal die Feuerwehr erfuhr von dem Vorfall.

In einer Fichte am Ufer saß ein schwarz bemantelter Rabe, der ein paar Mal krächzte. Irgendwie passte das zur Stimmung.

Hermanni war sprachlos. Er stand auf dem Hof und betrachtete die Ruinen seiner Hütte. Der Taxifahrer, in einiger Entfernung, räusperte sich. Das Einzige, was von der Behausung übrig war, war der Briefkasten vorn am Weg. Hermanni ging hin und freute sich, denn der Kasten war voll bis obenhin. Bei näherem Hinsehen erwies sich die Freude als verfrüht. Der Postbote hatte zu dem Eremiten von Porttipahta kiloweise bunte Werbeblätter, einen beträchtlichen Stapel Rechnungen und diverse Mahnungen getragen. Sogar ein Brief vom Gerichtsvollzieher war darunter. Hermanni stopfte das Zeug wieder in den Kasten, riss ihn aus dem Boden und stampfte all die Botschaften in den Uferschlamm des künstlichen Sees, mitsamt Briefkasten und allem Drum und Dran. Anschließend – man mag es kaum sagen – pinkelte er obendrauf.

Ragnar Lundmark versuchte den niedergeschlagenen Mann zu trösten:

»Ich bin sicher, dass Frau Lundmark Ihnen angesichts dieses Verlustes irgendwie helfen wird ...«

Hermanni schluckte nur und erklärte, dass er nicht um

die Hütte trauere, sie habe sowieso nicht ihm, sondern dem Kraftwerkskonzern gehört, und auch seinen Sachen weine er keine Träne nach, den paar Netzen, der Rollangel, dem Fernglas und der Kamera, den Gummistiefeln und der Pelzmütze..., aber der Verlust der Bibliothek sei ein schwerer Schlag. Er habe seine Bücher über viele Jahre gesammelt.

Ragnar Lundmark war einigermaßen erleichtert und sagte, dass ihm Frau Lundmark garantiert Ersatz für seine verbrannten Bücher beschaffen würde, notfalls würde sie bei einer Haushaltsauflösung so viele Bücher kaufen, wie er irgend wünschte. Hermanni streifte Ragnar mit einem traurigen Blick und dachte im Stillen, dass jedes Buch einzigartig war, genau wie jeder Mensch. Ein neues Buch kann das verbrannte nicht ersetzen, so wie ein Mensch, der den Platz eines Verstorbenen einnimmt, diesen nicht zum Leben erwecken kann.

14

Die beiden Männer ließen Tuure Honkanen davonfahren. Zuvor hatten sie vereinbart, dass er sie abends gegen sechs, sieben Uhr abholen sollte. Hermanni Heiskari führte Ragnar nach Westen, vom Fluss aus gesehen. Sie stiefelten schweigend mehrere Kilometer nördlich des Naimavaara-Berges entlang, bis sie ans Ufer des künstlichen Wasserbeckens kamen. Hier orientierte sich Hermanni an ein paar trockenen Strandfichten, schritt nach dem Gedächtnis eine bestimmte Anzahl von Metern ab und stocherte dann im Moos.

Zumindest an dieser Stelle fanden sich keine geheimen Pläne für einen finnischen Volksaufstand.

»Verflucht. Hier hatte ich sie vergraben.«

Hermanni erzählte, dass er die Dokumente in einer Räucherkiste aus Aluminiumblech eingeschlossen hatte, und die Kiste hatte er an den Kanten noch extra mit Harz gegen Feuchtigkeit abgedichtet. Der Inhalt bestand aus mehr als fünfhundert maschinengeschriebenen Textseiten sowie etwa fünfzig Kartenblättern.

»Haben Sie keine Kopien gemacht?«

»Wir Holzfäller besitzen im Allgemeinen keine Kopiergeräte.«

Aufmerksam wie ein Indianer stöberte Hermanni Heiskari im Gelände. Er kniete sich sogar hin und drehte und wendete die Torfbrocken wie ein Archäologe, um abschließend zu verkünden:

»Jemand hat das Zeug weggeholt. Die Spuren sind deutlich.«

Ragnar Lundmark verspürte grenzenlose Erleichterung. Welch glückliche Fügung! Nun, da die Kriegspläne verschollen waren, bestand zumindest in absehbarer Zeit keine Gefahr eines Aufstandes der Arbeitslosen. In Gedanken schickte er einen leisen Dank gen Himmel, für die Verhinderung des Krieges und vor allem dafür, dass er, Ragnar, nicht mehr befürchten musste, in jenes grausame Geschehen hineingezogen zu werden.

»Dann kommt es wohl zu keinem Krieg«, äußerte er hoffnungsvoll gegenüber Hermanni Heiskari.

Hermanni gab zu, dass der Volksaufstand um ein paar Jahre hinausgeschoben werden musste, wenn sich die Dokumente nicht fänden. Ragnar stellte Betrachtungen darüber an, wie es der Welt ergangen wäre, wenn sowohl Stalins als auch Hitlers Kriegspläne Ende der Dreißigerjahre verloren gegangen wären. Der Zweite Weltkrieg wäre erst in den Fünfzigerjahren geführt worden, nachdem neue Angriffsstrategien fertiggestellt worden wären. Auch er, Ragnar, hätte dann am Krieg teilgenommen, wäre heute womöglich Ritter des Mannerheim-Kreuzes. Oder doch nicht? Schwer zu sagen, wie heldenhaft ein Mann wirklich ist, wenn es ernst wird. Der Frieden wäre irgendwann 1955 geschlossen worden, und die geburtenstarken Jahrgänge wären erst 1958-63 auf den Plan getreten.

Hermanni Heiskari hakte hier ein und spann den Gedanken weiter:

»Die Reparationszahlungen wären wegen der Inflation mindestens dreißig Prozent günstiger gewesen, und der

Radikalismus der Sechzigerjahre wäre direkt in den Stalinismus der Siebzigerjahre gemündet. Die amerikanische antiautoritäre Erziehung hätte ihre irren Früchte erst in den Neunzigerjahren getragen.«

Ragnar hatte noch den Einfall, dass Risto Ryti gestorben wäre, noch bevor er seine Gefängnisstrafe als Kriegsverbrecher hätte antreten können. Vermutlich hätte man ihn postum verurteilt. »Und die Sowjetunion würde erst in einigen Monaten zusammenbrechen.«

Sie hätten ihre Scherze über dieses Thema noch endlos weitertreiben können, aber Hermanni beendete die Gedankenspiele, denn ihm war eine Idee gekommen.

»Verflucht, der Rotivaara-Akseli.«

»Rotivaara-Akseli?«

Er hatte so eine Ahnung , sagte Hermanni, dass Akseli Rotivaara, der in Siikaselkä am Oberlauf des Tankajoki hauste, die in der Aluminiumkiste eingeschlossenen Aufstandspläne stibitzt hatte. Akseli war insofern ein unangenehmer Zeitgenosse, als er die Reusen anderer inspizierte, sich dies und das aneignete, was er gebrauchen konnte, seine Nachbarn im Wald belauerte und beobachtete und seine Langfinger mal hier und mal da benutzte. An sich war das nicht schlimm und fast zu entschuldigen, denn Akseli war ein alter Mann und schwer versehrter Kriegsinvalide, der vollauf zu tun hatte, sich durchzubringen. Er hatte ein Bein aus Holz, das richtige hatte er 1942 in Rukajärvi in Karelien eingebüßt. Hermanni zeigte auf mehrere Abdrücke im Torf.

»Eindeutig von Akselis Holzbein.«

Ragnar erkundigte sich, ob der besagte Akseli Rotivaara vielleicht Pazifist war, da er geheime militärische Dokumente stahl.

»Keineswegs. Feldwebel.«

Sie kehrten wieder zu ihrem Ausgangspunkt, zur Brand-
ruine, zurück. Ein wahrlich düsterer Anblick. Auch der
Rabe ließ sich erneut in der Strandfichte nieder, um mit
seinem Gekrächze die Stimmung zu unterstreichen.

Als das Taxi erschien, wiesen sie Chauffeur Honkanen an,
auf direktem Wege über Vuotso nach Siikaselkä zu fahren.
Unterwegs plauderten sie über dies und das. Ragnar fragte
den Fahrer, ob er je den Schmucken Jussi chauffiert habe.

»Nee, ich nicht, dafür bin ich zu jung, aber Jussis Söhne
habe ich kutschiert, oft sogar.«

Ragnar staunte: War der Schmucke Jussi, König der fliegenden Gesellen, je in seinem Leben verheiratet gewesen?

»Das nun gerade nicht. Aber Söhne hat er angeblich mehr
als hundert, und Töchter noch dazu. In den Kirchenbü-
chern von Inari sind an die vierzig Kinder eingetragen,
und wer weiß wie viele noch in anderen Gemeinden. In
Inari umfasst das entsprechende Personenstandsregister
mehrere Seiten, der Pastor hat für Jussi eine eigene Spalte
eingerichtet und darin notiert: ›Weitere Bankerte des
Schmucken Jussi, siehe Anhang‹. Das ist dann noch ein
Extraheft, voll mit Namen von Jussis Kindern.«

Hermanni wusste zu berichten, dass der Schmucke Jussi
einst, das war noch vor dem Krieg, die Absicht gehabt
hatte, der schönen Köchin des Holzfällercamps einen Hei-
ratsantrag zu machen. Es war August gewesen, die beiden
waren Arm in Arm am Kemijoki spazieren gegangen und
hatten den Mond betrachtet. Jussi hatte die entscheiden-
den Worte zuvor auswendig gelernt. Der Augenblick war
sehr romantisch gewesen. Jussi hatte sich eine Weile
geräuspert und dann angefangen: »Hab so bei mir gedacht,
dass wir beide ...«

»Aber genau in dem Moment setzte eine Mondfinsternis ein. Es war stockdunkel, sodass man nicht mal zum Reden genug sehen konnte. Und so wurde nichts aus der Sache.« Ragnar meinte, falls das alles stimmte, dürfte der Schmucke Jussi mehr Nachkommen haben als Urho Kekkonen.

Der Taxifahrer wiederum fand, dass die beiden noch gar nichts gegen Matti Ahtisaari waren, der überall auf der Welt Kinder hatte. Er war einfach der Typ Mann. Sachlich im Auftreten, aber mit einer gehörigen Portion Leidenschaft.

»Er war jedenfalls immer mächtig viel unterwegs«, kam es zustimmend von der Rückbank.

Sie fuhren nach Norden, an Vuotso vorbei, dann bogen sie nach links auf die Straße nach Siikaselkä ab, die zum Oberlauf des Tankajoki führte.

»Die Söhne vom Jussi haben alle gesunde Beine, auch wenn der Vater diesen Krüppelfuß hatte. Nur beim Lügen stehen sie ihm in nichts nach«, setzte der Fahrer die Unterhaltung fort.

»Fantasie vererbt sich somit eher als deformierte Beine«, konstatierte Ragnar Lundmark.

»Ja, und so soll's auch sein«, bekräftigte der Fahrer.

Da die Rede sowohl vom Zweiten Weltkrieg als auch vom Schmucken Jussi gewesen war, erzählte Hermanni Heiskari zur Ergänzung noch die Geschichte von einer historischen Begegnung. Nach dem Krieg traf der Schmucke Jussi bei einem Moskaubesuch im Kreml mit Stalin zusammen. Jussi war für Präsident Paasikivi eingesprungen, denn der war an einer heftigen Grippe erkrankt und hatte nicht zu den Verhandlungen nach Moskau reisen können. Da hatten sich also Jussi und Stalin über Sicherheitsfragen in Skandinavien beraten. Sie hatten sich in Rekordzeit geeinigt und anschließend über die Weltpolitik geplaudert. Gemeinsam hatten sie unter anderem den Atombombenabwurf der USA in Hiroshima und Nagasaki verurteilt, auch wenn Stalin der Meinung gewesen war, dass die Russen nur so die Kurileninseln hätten besetzen können. Die Sowjetunion hätte selbst gern die Bomben abgeworfen, und zwar direkt auf Tokio und nicht auf irgendwelche unbedeutenden Provinzstädte. Nun ja, so viel dazu. Die beiden hatten Wodka gebechert, und zwar nicht wenig. Im beginnenden Rausch hatte Jussi mächtig auf den Putz gehauen und zu Stalin gesagt, hör zu, Generalissimus, du solltest den Finnen noch anständig die Reparationszahlungen erhöhen, damit in der Welt nicht von einem Kuhhandel gemunkelt wird, denn das ist nicht gut für Finnlands Ruf.

Stalin hatte den Hinweis ernst genommen und die Rechnung um hundert Prozent erhöht. Aber wie ja alle wussten, erwies sich das letztlich als Vorteil für Finnland. Der Maschinenbau und vor allem die Werftindustrie erlebten einen echten Aufschwung, und das Land wurde industrialisiert.

Als der Schmucke Jussi dann zu gegebener Zeit aus Moskau zurückkehrte, wurde sein Zug auf jedem finnischen Bahnhof von großen Volksmassen empfangen. Die Leute sangen vaterländische Lieder und Lobeshymnen, und die Bürgermeister hielten feierliche Reden. Auf dem Bahnhof in Helsinki hatte sich Juho Kusti Paasikivi höchstpersönlich eingefunden. Er war inzwischen von seiner Grippe genesen, hatte nicht einmal mehr Fieber. Paasikivi bedankte sich sehr bei Jussi für die ausgezeichnet geführten Verhandlungen. Wer einmal Russisch gelernt hat, der kann es für immer, darin waren sich beide einig. Wieder wurden Lieder gesungen, und Beifall gab es bis zum Überdruss. Alli Paasikivi überreichte dem Vertreter ihres Mannes einen Strauß Dahlien.

»Ohne den Schmucken Jussi hätten wir heute nicht diesen hohen Lebensstandard, und das trotz der Krise«, bestätigte der Fahrer. »Wir wären garantiert nicht EU-tauglich.«

In Siikaselkä betrat Hermanni Akseli Rotivaaras Hütte, es war ein ehemaliges Holzfällercamp, und Akseli wohnte in den Räumen der Chefs. Auf dem Hof vor der Hütte stand, auf mehreren Steinen, Hermannis Räucherkiste. Sie war außen völlig verrußt, also wohl fleißig benutzt worden.

Nach einer Weile kam Hermanni mit Akseli heraus, unter dem Arm trug er ein dickes Bündel maschinenbeschriebener Seiten und einen Stoß Landkarten. In der anderen Hand hielt er ein Büschel grauer Haare. Akseli hatte Tränen in den Augen. Er plapperte:

»Wir haben uns geeinigt, Hermanni und ich, dass ich bis Vuotso mitfahren kann. Er spendiert mir ein Bier.«

»Sozusagen als Dank für die Aufbewahrung des Manuskripts«, ergänzte Hermanni Heiskari.

Die Türen des Wagens knallten zu, und das neue Ziel hieß Vuotso.

15

Sie setzten Akseli Rotivaara in Vuotso ab, damit er Bier tanken konnte. Der Alte schwor, Hermannis Geheimnis für sich zu behalten, wünschte aber unbedingt als Reservist in die zu gründende Partisanenarmee eingezogen zu werden, immerhin verstand er zu kämpfen und troff außerdem vor Wut auf die hohen Herren. Hermanni knurrte nur, der alte Feldwebel möge seine Kriegsträume begraben und strikt die Klappe halten. Akseli erklärte, dass er immerhin noch zum Dienst in der Kleiderausgabe taugen würde, falls Not am Mann sein würde.

Ragnar gab anschließend zu bedenken, dass der Alte im Suff Hermannis Aufstandsprojekt verraten könnte, aber Hermanni machte sich darum keine Sorgen. Hier im Norden plante jeder Kerl die Revolte, wenn er ein paar Bier intus hatte. Auf dieses Gerede achtete sowieso keiner.

Hermanni und Ragnar fuhren im Taxi weiter nach Ivalo. Sie suchten ein Papiergeschäft auf, wo Hermanni drei Briefe schrieb.

»Zwei an die Söhne und einen an die Tochter«, erwähnte er Ragnar gegenüber.

Hermanni hatte also drei Kinder. Die fliegenden Gesellen hier oben im Norden schienen sehr potent zu sein, sagte sich Ragnar in Erinnerung an all die übertriebenen Geschichten von der Kinderschar des Schmucken Jussi.

Hermanni erzählte, dass er als junger Mann einige Jahre lang verheiratet gewesen war. Der Ehe entstammten eine Tochter und ein Sohn, und dann war noch ein Sohn außerehelich geboren worden. Alle waren bereits volljährig, hatten selbst Familie und kamen einigermaßen gut zurecht. Die Tochter hatte nach Schweden geheiratet. Hermanni schrieb an alle drei Kinder gleichlautende Briefe mit der traurigen Nachricht, dass seine Hütte abgebrannt, wahrscheinlich absichtlich in Brand gesteckt worden war. Dann teilte er ihnen mit, dass es ihm sonst prima gehe, dass er auf Tour sei und es ihm an Geld nicht mangele. Man hatte ihm freien Unterhalt für ein ganzes Jahr versprochen, dazu kostenlose Reisen samt Unterbringung in den besten Hotels, und zu alledem hatte er sogar einen persönlichen Butler zur Seite, einen gewissen Oberst Lundmark. Alles stand zum Besten. »Der arme Mann geht unter, der fliegende Geselle weiß zu leben.«

»Falls es etwas Wichtiges gibt, schreib mir postlagernd nach Ivalo, das wünscht Papa Hermanni.« Ragnar glaubte einen feuchten Schimmer in Hermannis Augen zu sehen, als dieser die Umschläge beleckte und zuklebte. Dann gingen sie gemeinsam zur Post, wo Ragnar endlich seinen Bericht an Lena Lundmark als Eil- und Einschreibesendung aufgab, während Hermanni seine Briefe an die Kinder abschickte.

»So sieht es aus, das Leben eines fliegenden Holzfällers ...«, die Kinder sind in der Welt, und die Hütte ist zu Asche verbrannt«, sagte Hermanni Heiskari mit leisem Lachen, als sie ins Taxi stiegen und die letzten vier Meilen zum Touristenhotel Inari fuhren. Dort wollten sie übernachten und, wie gewohnt, das Beste essen, was das Haus zu bieten hatte. Diesmal war es gebratene rotfleischige Forelle in Kognak-Sahne-Soße.

Nach dem Lunch fiel Hermanni Heiskari müde aufs Bett,

während Ragnar Lundmark sich noch ein wenig im Ort Inari umsehen wollte. Er kam auf die Idee, das Sámi-Museum zu besichtigen, das, ähnlich wie das Freilichtmuseum Seurasaari, ein eingezäuntes Gelände war und außerhalb des Ortes lag, einen Fußmarsch vom Zentrum entfernt. Dort hatte man ein komplettes samisches Dorf mit sämtlichen entsprechenden Gebäuden und Gerätschaften errichtet.

Das interessanteste Objekt auf dem Gelände war ein kleines Blockhaus, das seinerzeit als Gerichtsstube für Inari und Umgebung gedient hatte. In der undichten Hütte war über Sámis und Skolts Recht gesprochen worden. Der Richter hatte am Tisch gesessen, und der Polizist hatte mal diesen und mal jenen Rentierdieb oder Schläger zur Urteilsverkündung vorgeführt. Delinquenten mit geringfügigen Vergehen waren sofort in den Stock gelegt worden, einen sogenannten Fußblock, befestigt mit großen Krampen, die in die Wandbalken geschlagen worden waren. Dort mussten dann die Sünder sitzen und vor aller Augen für ihre Vergehen büßen.

Ein paar boshafte Lappenmädchen, etwa sechzehn Jahre alt, tauchten in der Hütte auf. Als sie sahen, wie Ragnar Lundmark den Fußblock inspizierte, stach sie der Hafer. Sie fingen an, ihm die Geschichte des Gebäudes und vor allem jenes Strafinstruments zu erklären, und sie baten ihn, sich zur Probe in den Fußblock zu setzen, was er auch brav tat. Daraufhin ließen sie die Schlösser zuschnappen und rannten kichernd hinaus. Einen Augenblick später kamen sie zurück, steckten Ragnar einen Dauerlutscher in den Mund und entfernten sich, wobei sie die Tür mit Nachdruck hinter sich zuschlugen.

Schon die samischen Banditen vor hundert Jahren hatten nicht gern im Stock gelegen, und auch Ragnar machte es keinen großen Spaß. Er versuchte sich zu befreien, aber die alten, aus Balken gefertigten Fallen waren stabil und gaben nicht nach. Ragnar war gezwungen, still zu sitzen und darauf zu hoffen, dass ein Museumsbesucher käme und ihn aus der Misere befreien würde.

Eine Stunde verging, und noch eine zweite. Gerade an diesem Tag stand das samische Museum nicht in der Gunst der Touristen. Ragnar Lundmark rief um Hilfe. Wäre das Joiken nicht schon vor Urzeiten erfunden worden, hätte es auf jeden Fall jetzt seine Geburtsstunde erlebt. Ragnar johlte aus vollem Hals, aber vergebens. Weder die Hilferufe noch das aufgeregte Joiken erreichten irgendeines Menschen Ohr. Das Mädchen an der Kasse im Eingangstor wunderte sich zwar ein wenig, was da aus der alten Blockhütte für Töne kamen, vergaß dann aber das Ganze, da sie die neueste Nummer ihres Lieblingsmagazins vor sich liegen hatte.

Ernstere Auswirkungen der unverdienten Strafsitzung zeigten sich gegen Abend, als Ragnar das Bedürfnis verspürte, die Toilette aufzusuchen. Wie aber gelangt ein in den Stock gelegter Mann dorthin? Gar nicht. Ihm kam bereits der schreckliche Gedanke, dass er sich in seiner Not in die Hosen machen müsste. Es war fast sechzig Jahre her, seit ihm das zuletzt passiert war. Damals hatte ihm die Mutter ohne Murren eine neue Hose gegeben und ihm sogar noch einen Kuss auf die Wange gedrückt, gleichsam als Lohn für die gute Leistung. Jetzt aber war von der Mutter weit und breit keine Spur, denn sie war bereits vor zwanzig Jahren gestorben, wie übrigens auch der Vater. Und der verflixte Hermanni hatte nicht ins Museum mitgehen mögen, hatte angeblich genug von den Sámis.

Hermanni Heiskari erwachte im Hotel aus seinem Mittagsschlaf und sah auf die Uhr. Wo in aller Welt steckte der Oberst? Er beschloss, in den Ort zu gehen und nach Ragnar Ausschau zu halten. Schließlich hatte er ein Anliegen. Die Pläne für den Aufstand warteten auf das Urteil eines Fachmannes.

Hermanni lief überall herum, sah in Geschäften und Restaurants nach, fragte die Leute, aber kein Ragnar Lundmark weit und breit. Schließlich stiefelte er ins samische Museum und erkundigte sich, ob ein Mann von Ragnars Aussehen dort aufgetaucht war. Das Mädchen am Eingang versuchte sich zu erinnern und meinte schließlich, dass der besagte Herr möglicherweise das Gelände betreten hatte, vor ein paar Stunden war das gewesen. Hermanni beschloss, in sämtlichen Gebäuden nachzusehen, und so fand er schließlich seinen Reisegefährten im Fußblock der Gerichtsbaracke. Ragnar war ganz rot im Gesicht von der Anstrengung, sein dringendes Bedürfnis zu unterdrücken. Als er endlich aus den Fesseln befreit war, rannte er wie ein wild gewordener Elch nach draußen und erleichterte sich hinter dem Gebäude.

Nach einer Weile hörte man von dort eine leise Stimme: »Könnte ich Papier haben, Herr Heiskari?«

Sie kehrten ins Hotel zurück, wo Ragnar Lundmark sich daranmachte, Hermannis Kriegspläne zu studieren, die aus einigen Hundert maschinengeschriebenen Seiten und fünfzig kopierten Karten bestanden. Es gab eine allgemeine Darstellung und eine strategische Übersicht sowie eine operative und zusätzlich noch eine detaillierte Beschreibung der Taktik für den Volksaufstand.

Ragnar Lundmark sagte sich, dass er, wenn er tatsächlich Oberst wäre, möglicherweise einige Details korrigieren würde, aber für einen gewöhnlichen Leutnant gingen die Pläne vollkommen in Ordnung. Zum Beispiel war die

Besetzung Rovaniemis in einer Art und Weise geplant und beschrieben, die durchaus Erfolg versprechend schien. Hermanni Heiskari war es gelungen, sich die militärische Eroberung der Stadt sehr detailliert vorzustellen, obwohl er die Welt vom Ufer des künstlichen Sees von Porttipahta aus betrachtet hatte.

Noch nie in seinem Leben hatte Ragnar Lundmark ein so unheimliches Kriegsbuch gelesen. In Hermannis Plänen war sorgfältig jede auch nur einigermaßen wichtige finnische Ortschaft, in der man das Aufflammen von Kämpfen erwarten durfte, aufgelistet. Nicht einmal Maarianhamina war ausgespart. Die Depots, die Flugplätze, die Radiosender, die Brücken, die Fernverkehrsstraßen ... alles war bedacht. Je weiter Ragnar in der Lektüre vorankam, desto stärker beeindruckte ihn der Text. Er erkannte, dass er hier ein grausames Epos in den Händen hielt, die Partitur des kommenden Krieges, einen spannenden, mitreißenden Lesestoff, der unter Umständen Finnlands Untergang bedeutete. Der Text übte irgendwie eine magische Wirkung aus, und noch bevor Ragnar bis zum Schluss vorgedrungen war, hatte er schon unbewusst für den Aufstand Partei ergriffen. So wirkt nun einmal Propaganda auf die Menschen. Und Fakten wiederum waren die verlässlichste Propaganda.

Eine unheimliche Vision, das musste Ragnar Lundmark zugeben.

Ragnar hatte die ganze Nacht hindurch in dem Text gelesen. Jetzt wurde es bereits Morgen, nach langer Zeit das erste Mal ohne Regen. Ragnar fand, dass das Urlaubsprogramm hier im Norden bisweilen recht speziell war. Erst wurde man den halben Tag im Fußblock gefangen gehalten und anschließend nachts seines Schlafes beraubt und gezwungen, Pläne für den Aufstand zu studieren.

16

Es war jetzt Ende Juli, und Ragnar Lundmark sagte sich, dass Lenas Antwort auf seinen letzten Bericht wohl inzwischen im Touristenhotel von Utsjoki angekommen war. Als sie dorthin reisten, war die Überraschung groß, denn anstelle eines Briefes war Frau Lundmark selbst eingetroffen. Sie war ziemlich gereizt, denn sie hatte bereits länger als einen Tag auf die Vagabunden gewartet. Ragnar hatte versäumt, die Nachricht ins Hotel zu schicken, dass er und Hermanni wegen des Studiums der Aufstandspläne länger in Inari verweilten. Es kam deshalb zu einer ziemlich heftigen Auseinandersetzung zwischen Onkel und Nichte.

Ragnar merkte, dass Lena bis über beide Ohren in Hermanni Heiskari verliebt war. Sie hielt es für selbstverständlich, dass er zu ihr ins Zimmer zog, und Hermanni hatte nichts dagegen einzuwenden.

Lenas Hüfte war bereits gut geheilt. Sie hatte sechs Wochen lang Stützkrücken benutzen müssen, damit die Blutzirkulation im Oberschenkelhals nicht beeinträchtigt wurde, was Brand zur Folge gehabt hätte. Ihr Arzt Doktor Seppo Sorjonen hatte lobend hervorgehoben, dass beim Einrenken der Hüfte geschickt vorgegangen worden war. Hermanni Heiskari errötete zufrieden, als er das hörte.

Beim Abendessen klagte Lena Lundmark, dass die Geschäfte – vor allem die der Werften – in letzter Zeit buchstäblich im Gegenwind gesegelt waren. Auch im Speditionsbereich gab es Schwierigkeiten, und Lena wusste gar nicht, wie es ihr gelingen sollte, ihren Besitz vor den gierigen Spekulationen ihrer räuberischen Konkurrenten zu schützen. Sie hatte große Risiken eingehen müssen, und eigentlich fehlte ihr die Zeit, quer durch Finnland irgendwelchen Pennern hinterherzureisen.

Diese Worte richtete Frau Lundmark an ihren Onkel, wobei sie entschuldigend ihre kleine Hand in Hermanni Heiskaris große Pranke schob. Sie speisten an diesem Abend geräucherte Rentierzunge mit geschmorten Steinmorcheln. Dazu wählte Ragnar einen anregenden italienischen Bardolino, den er seinerzeit auf einer Reise durch Norditalien gekostet hatte. Wie er sich erinnerte, stammte der Wein aus den Corvina- und Molinatrauben, die an den Hängen von Veneto wuchsen.

»Findet ihr nicht auch, dass ein leichter Hauch von Kirsche zu spüren ist? Ich würde sagen, dass sich sanfte Leichtigkeit mit nachdrücklicher Frische vermischt«, sinnierte er. Da sich die Männer immer noch siezten, hielt es Lena Lundmark für ihre Pflicht, ihnen vorzuschlagen, endlich Brüderschaft zu trinken. Lena äußerte ihr Erstaunen, dass zwei Finnen, die den ganzen Sommer über gemeinsam gereist waren, Ende Juli immer noch so förmlich miteinander umgingen. Ragnar verteidigte die Linie, die er verfolgte, mit dem Hinweis, dass sich die Sitten in den nordischen Ländern, und durchaus auch in Finnland, in den letzten Jahren auf besorgniserregende Weise gelockert hatten, und vor diesem Hintergrund war es ganz natürlich, dass einige wenige Gentlemen Wert auf gutes Benehmen legten. Er sagte, dass er es irgendwie demütigend finde, geduzt zu werden, besonders wenn das Gegenüber etwa ein fünfzehnjähriges Mädchen sei. Ganz zu schweigen davon, was ein älterer Mensch sich noch so an Unverschämtheiten aus dem Munde Jugendlicher anhören musste.

Ragnar Lundmark sprach das Wort »Fotze« nicht aus, das seine ursprüngliche, an sich faszinierende Bedeutung vollständig verloren hatte, nachdem es Eingang in die Alltagssprache gefunden hatte. Hingegen konnte er nicht umhin, sein Erstaunen darüber auszudrücken, was die jungen Burschen mit ihren idiotischen Graffitischmierereien zu erreichen glaubten. Diese Art der Verschandelung der Umwelt hatte noch nicht einmal mehr etwas mit der für Jugendliche typischen Rebellion zu tun. Es hatte überhaupt keinen Sinn, war in seiner ganzen Dummheit einfach nur widerwärtig. Wenn jemand gegen die Gesellschaft rebellieren wollte, gab es dafür bessere Wege, wie etwa das Gedankengut eines Mannes wie Hermanni Heiskari.

Während des Abendessens gingen sie nicht näher auf Hermannis Aufstandsprojekt ein, denn alle drei begriffen, dass man das besser nicht in einem Hotelrestaurant besprach. Und so vereinbarten sie, dass die Männer Lena am folgenden Tag an einem abgeschiedenen Ort in das Vorhaben einweihen würden. Sie beschlossen, sich in die Natur Lapplands zu begeben, um das Kriegsgeheimnis zu lüften, zumal laut Meteorologen die Regenfälle nachlassen sollten. Für den nächsten Tag jedenfalls war endlich sonniges Sommerwetter angekündigt.

Ragnar bestellte noch am Abend in der Küche einen Picknickkorb für den nächsten Tag. Ferner bat er das Hotel, einen örtlichen Wildmarkführer zu beauftragen, an eine geeignete, besonders schöne Stelle in freier Natur trockenes Brennholz zu bringen, damit sie dort ihren Lunch einnehmen konnten. Zusätzlich zu dem Picknickkorb bestellte er noch ein Flipchart, einen Stapel Papier und mehrere Filzstifte aus den Beständen des Konferenzzimmers.

»Wir beabsichtigen, draußen am Busen der Natur einen kleinen Vortrag zu halten«, erwähnte er.

Nach dem Frühstück fuhren sie mit dem Taxi an den Junttijoki, etwa zehn Kilometer von Utsjoki in westlicher Richtung gelegen. Der Wildmarkführer hatte an einer höher gelegenen trockenen Stelle am Ufer ein fröhlich loderndes Feuer entzündet. Daneben standen ein Campingtisch und mehrere Zeltstühle. Etwas abseits war diskret ein Korb platziert, der kalte Getränke und für alle Fälle auch Mückenöl, Haushaltspapier und Feuchttücher enthielt. Auch ein paar Rollangeln waren da, die Blinker gleich dazu, und in einer Plastiktüte, die am Schaft befestigt war, steckten Eintagesangelscheine.

Thermosflaschen mit Kaffee und Tee befanden sich im Picknickkorb, aber für den Fall, dass sich die Ausflügler frischen Kaffee kochen wollten, standen neben dem Feuer ein Dreibein, ein rußiger Kessel und die dazugehörigen Gerätschaften bereit. Sogar ein breites Holzbrett war da, damit sie Lachs rösten konnten, falls ihnen das Anglerglück hold war.

Hermanni Heiskari und Ragnar Lundmark waren jedoch nicht an den Junttijoki gekommen, um zu angeln. Ragnar bat Lena und Hermanni, sich einen Sitzplatz am wärmenden Feuer zu suchen, dann holte er das Flipchart aus dem Gepäck, um es vor ihnen aufzubauen. In diesem Moment kam der Wildmarkführer mit einem Armvoll Holz aus dem Zwergbirkenwäldchen, um Ragnar beim Herrichten der Tafel zu helfen. Als das geschehen war, bedankten sich die Ausflügler bei dem Mann, und er ging zur Landstraße, stieg in seinen Geländewagen und fuhr davon. Er hieß im Übrigen Santeri Näljänkäläinen und war einer von Hermannis Kameraden aus dem Wildmarkführerlehrgang, allerdings hatte er damals mit besseren Ergebnissen abgeschlossen als Hermanni. Und hier trafen sie sich nun wieder, jetzt war Hermanni der Herr und Santeri der Diener.

»Hermanni und ich sind übereingekommen, dass ich als Erster das Wort ergreife, da ich mich als Außenstehender und in meiner Eigenschaft als Oberst mit diesen Plänen habe vertraut machen dürfen«, begann Ragnar Lundmark. Er deutete auf den Stapel maschinengeschriebener Blätter, der auf dem Campingtisch lag. Lena beschwerte die Blätter mit einem Stein, damit der Wind nicht die Originale und zugleich einzigen Exemplare der geheimen Kriegspläne über ganz Lappland verteilte.

Ragnar erzählte, dass er Hermannis Pläne sehr gründlich studiert habe. Er habe sie vorrangig aus militärischer Sicht geprüft und den politischen und ökonomischen Fakten weniger Beachtung geschenkt. Inzwischen, so bekannte er, begeistere er sich durchaus für den Aufstand der Arbeitslosen, obwohl er noch vor Kurzem von dem Gedanken einfach nur schockiert gewesen sei. Aber nachdem er sich näher damit befasst habe, habe er seine Meinung geändert. Auch wenn er nicht in allen Teilen hinter dem Projekt stehe, so halte er es doch im Großen und Ganzen für praktikabel. Insgesamt sei der Gedanke an einen Aufstand der Arbeitslosen außerordentlich gut motiviert. Zumindest dieser Krieg habe eine moralische Berechtigung, sofern es die für einen Krieg überhaupt gebe.

Ragnar wählte einen roten Filzstift und skizzierte auf dem Flipchart die Karte von Südfinnland.

»In den Plänen konzentriert sich das Hauptgeschehen des Aufstandes natürlicherweise auf den Süden des Landes, wo der Hauptteil der Bevölkerung wohnt und wo es auch zahlenmäßig die meisten Arbeitslosen gibt – ungeachtet dessen, dass beispielsweise in Lappland, Kainuu und Pohjois-Karjala in der Relation die höchsten Arbeitslosenzahlen zu verzeichnen sind. Na schön, nehmen wir mal an, dass es in ein, zwei Jahren in Finnland weiterhin dreihundert- bis vierhunderttausend Arbeitslose gibt, von denen ein beträchtlicher Teil zu dem Zeitpunkt bereits Langzeitarbeitslose sind. Ihre Verbitterung und folglich die Proteststimmung nehmen zu, je länger die Perioden der Arbeitslosigkeit andauern. Also geht Hermanni davon aus, völlig zu Recht meiner Meinung nach, dass sich etwa siebzig bis achtzig Prozent der oben genannten Zahl mühelos für den Aufstand rekrutieren lassen. Das bedeutet eine Guerillaarmee von mindestens zweihundertfünfzigtausend Männern und Frauen.

Außer bei den Arbeitslosen ist der Gedanke an einen Aufruhr auch bei jenen anzunehmen, die vom Arbeitsleben ausgebrannt sind. Desgleichen müssen Abenteurer, Kriminelle, Geisteskranke und ausländische Freiwillige zu den aufrührerischen Elementen gezählt werden. Wenn man so rechnet, kommt man auf eine Armeestärke von fast einer halben Million. Das sind mehr Truppen, als Finnland seinerzeit in den Winterkrieg hatte schicken können. Natürlich sind die heutigen Arbeitslosen in ihrer Wehrfähigkeit nicht mit den Helden des Winterkrieges gleichzusetzen, aber auch der Gegner wäre ja nicht mit den Russen jener Zeit zu vergleichen. Jedenfalls wäre diese Armee weit größer als beispielsweise die Kriegstruppen von 1918 – gemeint sind die aufständischen Roten wie auch die weißen Truppen –, und sie wäre erheblich disziplinierter.«

Ragnar Lundmark markierte nun in der Kartenskizze die wichtigsten Standorte der aufständischen Truppen.

»Im Raum Tampere gibt es unserer Ansicht nach die meisten Aufstandswilligen, aber auch in den anderen großen Siedlungszentren wie Turku, Jyväskylä, Lahti und natürlich im Bereich der Hauptstadt sind hohe Zahlen zu verzeichnen. Eine besonders schwierige Arbeitslosensituation haben wir in Kymenlaakso, ebenso hier in Satakunta. In Vantaa konzentrieren sich möglicherweise noch gewaltigere Arbeitslosenmassen als in Tampere.«

Der Filzstift bewegte sich rasch über das Papier. Ragnar kreiste die größten Ortschaften ein und zeichnete Pfeile, die von den kleineren zu ihnen hinführten, etwa von Pieksämäki, Mikkeli, Heinola, Riihimäki und Hyvinkää.

Nun schlug er das erste Blatt um und skizzierte auf dem nächsten die Karte Nordfinnlands. Gerade als er beginnen wollte, über die Chancen für einen Aufstand bei den nordfinnischen Arbeitslosen zu referieren, setzte sich ein Vogel oben auf den Rand des Flipcharts. Er war ganz zahm, flötete mit leiser Stimme und bettelte um Futter. Der Vogel hatte einen leuchtend grünen Sterz. Erstaunt über seine Frechheit, erkundigte sich Lena Lundmark, ob es ein Eichelhäher sei. Hermanni erwiderte, dass es sich um einen Unglückshäher handle, das Maskottchen der Holzfäller.

Ragnar scheuchte das neugierige Tier von der Tafel und fuhr in seinem Vortrag fort. Er informierte über die Arbeitslosensituation in den nördlichen Regionen und kam zu der Einschätzung, dass der Norden zwar dünn besiedelt sei, dass es hier aber relativ mehr Arbeitslose gebe als im bevölkerungsreichen Süden. Er zitierte Hermanni und erklärte, dass sich hier mehr Aufständische rekrutieren lassen würden als einst zu den Zeiten der Fleischrevolte von Salla oder der Pferderevolte von Nivala.

Ragnar Lundmark ging bereits ganz in der Rolle des Oberst

auf, als er die Fragen der Kampfausbildung und Bewaffnung der Aufständischen darlegte. Was die Männer betraf, so gab es keine Probleme, denn sie hatten im Allgemeinen die Wehrpflicht absolviert. Die Frauen sollten nach Hermannis Plänen nicht bewaffnet, sondern in der Aufklärung und der Logistik oder als Krankenschwestern eingesetzt werden.

»Die heutigen Frauen besitzen Autos, sie beherrschen die Datentechnik ebenso wie die Männer, für sie finden sich genug passende Aufgaben, wenn erst mal der Aufstand begonnen hat.«

Als er einmal in Fahrt gekommen war, sprach Ragnar Lundmark anderthalb Stunden ohne Pause, und in dieser Zeit gab er einen recht detaillierten Einblick in Hermanni Heiskaris Aufstandspläne. Er war ein geschickter Referent, und obwohl der Vortrag lang war, hörte Lena ihm zu, ohne dass ihr Interesse auch nur einen Augenblick erlahmte.

Ragnar beendete seinen Vortrag mit einem großartigen Geistesblitz:

»Die Mobilmachung vollziehen wir mithilfe der landesweiten Arbeitslosenkartei. Die Arbeitsämter haben von jeder Person die Angaben zur Ausbildung und zu früheren Arbeitsstellen, ferner die Adresse, Informationen über den Gesundheitszustand, einfach alles! Ich nehme an, dass nicht mal unsere reguläre Armee eine bessere Stammkartei besitzt. Jeder x-beliebige Werbefachmann kann hingehen und sich bei Bedarf diese Datenlisten kaufen.«

Erneut flatterte der Unglückshäher mit dem grünen Sterz herbei und flötete. Die Teilnehmer beschlossen, das Kriegsseminar zunächst zu unterbrechen und einen kleinen Spaziergang zu machen, bevor Hermanni Heiskari mit seinem Beitrag an die Reihe kam. Lena und Ragnar nahmen Angeln mit und warfen die Köder im Junttijoki aus. Keiner von beiden rechnete damit, etwas zu fangen, aber siehe da, bald biss an Lenas Angel eine Grauforelle von gut einem Kilo Gewicht an. Sie zappelte wild, ehe sie sich herausholen ließ, und bald fing auch Ragnar einen Fisch, es war eine etwas kleinere Äsche. Glücklich über den Fang, kehrten Onkel und Nichte zum Feuer zurück, wo Hermanni sich bereits auf seinen Vortrag vorbereitete.

Lena Lundmark dachte über die betriebswirtschaftlichen Konsequenzen eines Bürgerkrieges nach. Was hier geplant wurde, war ganz eindeutig ein Aufstand, und die Idee stammte von einem gewöhnlichen Holzfäller aus den nördlichen Wäldern. Der gute Hermanni war ganz offensichtlich verliebt in seinen Gedanken, so wie es die echten Rebellen immer gewesen sind, er wollte bestimmt ein romantischer Held sein und mit Leib und Seele für das einfache Volk kämpfen. Alles schön und gut, aber in der knallharten Geschäftswelt war für solche Hirngespinste kein Platz. Was Lenas Interesse an dem Projekt weckte, war der Gedanke an den eigenen Vorteil. Es ging, außer um einen Volksaufstand, auch um eine nie da gewesene großartige Gelegenheit, Unmengen Geld zu machen. Zynisch rekapitulierte Lena, was unter Geschäftsleuten stets in diesem Zusammenhang gesagt wird: »Krieg ist das einträglichste Business der Welt.«

17

Ragnar nahm die Fische aus und filetierte sie. Es war noch Vormittag, als Hermanni mit seinem Vortrag begann, und er schätzte, dass er bis zum Mittagessen damit fertig sein würde. Die Generalstochter Lena und der aus Versehen in die Rolle des Oberst geratene Ragnar Lundmark nahmen auf den Zeltstühlen Platz. Nun ergriff der Unteroffizier das Wort, nachdem er das Feuer geschürt und ein paar trockene Holzscheite hineingeworfen hatte.

Hermanni Heiskari erklärte den Begriff der Doktrin. Das ist eine Lehre, mit der die Ziele und Grundlagen von Kriegshandlungen und die daraus resultierenden militärischen Aufgaben und ihre Durchführung definiert werden. Als Ziel des Aufstandes der Arbeitslosen nannte Hermanni das Erreichen der Vollbeschäftigung. Der Aufstand würde ausschließlich auf das Territorium Finnlands begrenzt bleiben. Die Aktionen bestünden, zumindest anfangs, aus passivem Widerstand, der die nationalen Ressourcen lahmlegen und so die Gesellschaft zwingen würde, auf die Forderungen der Aufständischen einzugehen.

Es musste jedoch die Möglichkeit in Betracht gezogen werden, dass die Gegenseite, der »Feind«, versuchen würde, den Aufstand gewaltsam zu ersticken, und dann wären bewaffneter Kampf und Blutvergießen unvermeidlich. Denkbar war, dass nach Ausbruch des Krieges der

Staat mit seinem Machtapparat versuchen würde, die aufständischen Arbeitslosen und ihren Kampf niederzuschlagen. Wenn sie jedoch, wie zu hoffen war, von der Masse der übrigen Bevölkerung Unterstützung und Deckung bekämen, müssten sämtliche finnische Arbeitslose eliminiert werden. Nach Hermannis Auffassung könnte das geschehen, indem man diese Menschen in großen Lagern konzentrierte, so wie es im Zweiten Weltkrieg vor allem in der Sowjetunion und in Deutschland gehandhabt worden war. Für den Anfang bedeutete das, mindestens dreihundert- bis vierhunderttausend Finnen in Konzentrationslager zu sperren, schätzte Hermanni. Man würde sie mit starker chauvinistischer Propaganda vollpumpen, um so wenigstens einen Teil der internierten Bürger dazu zu bewegen, ihre Auffassung von der Gesellschaft zu ändern und auf die Teilnahme am Aufstand zu verzichten. Die Übrigen würden vom Kriegsgericht wegen Landesverrats zu Zuchthausstrafen verurteilt. Die Rädelsführer des Aufstandes würden nach eigens geschaffenen Kriegsgesetzen hingerichtet, die untere Führung ausgewiesen.

Hermanni hielt es allerdings nicht für wahrscheinlich, dass der gut vorbereitete Volksaufstand so leicht scheiterte. Im Gegenteil, bei sorgfältiger Planung und geschickter Ausnutzung der Umstände hätte der Aufstand hervorragende Chancen auf Erfolg. Hermanni verwies auf einige aus der Militärgeschichte bekannte Theoretiker wie Moltke, Clausewitz und den vietnamesischen Partisanenführer Vo Nguyen Giap aus dem Indochinakrieg, ferner auf die Finnen Nenonen, Siilasvuo und Raappana, nicht zu vergessen den Schmucken Jussi, der nicht nur ein weithin bekannter Holzfäller, sondern auch ein ausgewiesener Experte in der Wald- und Ödmarkskriegsführung gewesen war. Für den besten Kriegstheoretiker hielt Hermanni jedoch den chinesischen General Sun Tzu, der vor langer Zeit gelebt hatte und dessen Gedanken Hermanni jetzt für Lena und Ragnar zitierte: »Wie das Wasser keine beständige Form hat, so gibt es auch im Krieg keine Beständigkeit. Also kann man denjenigen göttlich nennen, der den Sieg erringt, indem er seine Taktik ändert, wenn sich die Situation des Feindes ändert.«

Hermanni betonte, dass es keinesfalls seine Absicht war, ein furchtbares Blutbad anzurichten, sondern er wollte lediglich die grenzenlose Ungerechtigkeit beseitigen, die in Form der Massenarbeitslosigkeit das Leben und die Zukunft der ganzen Nation bedrohte. Er verlangte von sämtlichen Entscheidungsträgern – der Industrieführung, den Arbeitgebern, den Politikern, der Intelligenz –, von allen, die eine Möglichkeit hatten, in den Verlauf der Dinge einzugreifen, dass sie sich endlich ihrer Verantwortung stellten. Weil sie dazu freiwillig anscheinend nicht bereit waren, mussten sie unter Androhung eines Krieges und in letzter Konsequenz durch einen Bürgerkrieg zum Begleichen der Rechnung gezwungen werden.

»Genau wie ein durch Schläge irregemachter Hund, der in seiner Not seinem Herrn in die Hand beißt, so werden auch die ins Elend der Arbeitslosigkeit gestürzten armen Leute ihre Menschenrechte einfordern«, verkündete Hermanni Heiskari mit gehörigem Pathos in der Stimme, ganz wie es sich für den Wegbereiter eines Aufstands gehörte. Er warf einen großen Holzkloben ins Feuer, dass die Funken nach allen Seiten sprühten.

Der Vortrag war eindrucksvoll, und Lena Lundmark gewann die Überzeugung, dass sie sich unbedingt mit einklinken sollte, um sich ihren Teil der künftigen Optionen zu sichern.

Sie erkannte, dass sich ihr im Leben keine zweite so außerordentliche Chance bieten würde, gigantische Geschäfte zu machen. Im Hinblick auf den ungeheuren Bedarf einer Kriegswirtschaft geisterte ihr bereits die Erweiterung der Speditionsfirma durch den Kopf. Auch die Kapazität der Schiffe müsste großzügig erhöht werden, damit sie den Bedürfnissen des Seetransports zu Kriegszeiten entsprach. Lena beschloss, diese Überlegungen mit keinem Wort anzudeuten, jedenfalls vorläufig nicht. Sie wollte nicht, dass die Männer Bescheid wussten, zumal keiner der beiden etwas von Geschäften verstand. Wichtig war, dass ihre Begeisterung anhielt und dass ihr, Lena, die märchenhafte Gelegenheit, Geld zu machen, nicht entging.

Hermanni Heiskari betonte, dass er nicht sicher war, ob sein Kriegsprojekt je in die Tat umgesetzt würde – er war kein Revolutionsromantiker. Aber der vorläufige Plan war erstellt, und das hatte zwei Jahre gedauert. Nun musste noch der Feinschliff vorgenommen werden, und falls auf Lenas Versprechungen von einem bezahlten Lebensrettungsurlaub Verlass war, hatten er und Ragnar jetzt Zeit, sich dieser Aufgabe zu widmen. Wenn der endgültige Aufstandsplan bis ins letzte Detail fertig wäre, könnte man die Information über seine Existenz gezielt in der Öffentlichkeit lancieren, sodass das ganze Volk über das Vorhaben Bescheid wüsste. Mal sehen, ob dann nicht all die Herren endlich erwachen, das ungeheure Arbeitslosenproblem in seinem Ausmaß erkennen und aus Angst um ihr Leben etwas dagegen unternehmen würden.

Über die Ressourcen des Gegners wusste Hermanni gut Bescheid. Den Landstreitkräften der finnischen Armee standen, wenn man die Reserve mitzählte, 460 000 Mann zur Verfügung. Es gab zwei operative Panzerbrigaden, in beiden 5700 Mann, zehn Jägerbrigaden mit einer Stärke von 5300 Mann, ferner vierzehn Infanteriebrigaden mit Reservisten (6600) sowie eine Küstenbrigade. Die Marine verfügte in Kriegszeiten über 12000 Mann (zwei Flotten), die Luftwaffe über 30000 Mann, hinzu kam der Grenzschutz mit 24000 Jägern. Die Ausrüstung der Panzerbrigaden war stattlich: Beide verfügten über 65 Kampfpanzer, 60 Sturmpanzer und 100 Transportpanzer sowie 25 Haubitzen. Die Jägerbrigaden wiederum besaßen laut Hermannis Informationen 200 bis 250 Transportpanzer oder Halbkettenfahrzeuge.

Die Infanteriebrigaden verfügten über zwei Kanonenbatterien, insgesamt 36 Feldbatterien und ebenso viele schwere Granatwerfer, 18 Flugabwehrkanonen, 150 Flugabwehrmaschinengewehre und etwa 3500 Panzerabwehrwaffen, Bazookas und Raketen. An Fahrzeugen besaß jede Brigade fast 1000 Stück.

Diese Armee war allerdings aufgestellt und ausgebildet worden, um den Angriff einer fremden Macht abzuwehren, und nicht, um Guerilla-Aktivitäten im eigenen Land zu ersticken. Bei der finnischen Militärausbildung war man in den letzten Jahren von der traditionellen Methode abgekommen, die Vorteile des waldigen Geländes auszunutzen – die Generäle wollten »aus dem Wald heraustreten«. Die finnische Armee war stark, aber ihre schwere Ausrüstung würde sie daran hindern, ihre ganze Stärke im Ödwald auszuspielen.

»Man muss außerdem bedenken, dass es in der Armee ebenfalls Arbeitslose gibt. Vor allem das Stammpersonal, Offiziere und Unteroffiziere, haben die von der Krise verursachten schweren finanziellen Einschnitte zu spüren bekommen. Und ein großer Teil der Reservisten sind

Langzeitarbeitslose, also potenzielle Guerillakämpfer. Die aufrührerischen Aktivitäten können somit leicht zu einer Aushöhlung der Streitkräfte führen.« So konnte man trotz der gewaltigen militärischen Übermacht nicht von vornherein sicher sein, wie ein Guerillakrieg schließlich ausgehen würde.

Hermanni beendete seinen Vortrag mit der Bemerkung, dass die Kunde vom drohenden Volksaufstand ein furchtbarer Schock für die Leute wäre, vor allem, wenn erst mal die Medien das Thema aufgreifen und das Fernsehen auf allen Kanälen entsprechende Schreckensszenarien entwerfen würde. Und wenn das immer noch nicht reichen sollte, die hohen Herren zur Vernunft zu bringen, dann müsste man die Revolte lostreten. Die detaillierten Pläne lägen bereit. Die Guerilla-Armee aus der Arbeitslosenkartei würde auf ihren Kampfbefehl warten.

Ragnar Lundmark, ganz Oberst und Gentleman, erhob sich von seinem Campingstuhl und trat zu Hermanni Heiskari, um dem Unteroffizier mit Handschlag zu danken. Lena äußerte, dass sie schon lange nicht mehr solche Kriegsbegeisterung erlebt habe, dass sie als Generalstochter den beiden Vorträgen des Seminars jedoch interessiert gelauscht habe und sogar zu der Überzeugung gelangt sei, dass in dem Projekt ein gewisses Maß an gesundem Menschenverstand stecke. Sorge bereite ihr allerdings, dass man ihr, der reichen Erbin und Großkapitalistin, hier quasi das Grab schaufelte, im schlimmsten Falle sogar ein Massengrab, in dem auch sämtliche anderen Reichen in Finnland verscharrt werden würden. Im Stillen dachte sie bei diesen Worten, dass sie nicht zu vehement für das Projekt eintreten dürfte, die Männer könnten misstrauisch werden und ihre wahren Motive erahnen.

Über Hermannis Gesicht huschte ein schiefes Lächeln – Lena Lundmark hatte recht. Falls die Revolte eines Tages wirklich losbrechen würde, hätten die Reichen in der Tat nichts zu lachen. Ragnar hingegen meinte, dass die Nichte unbesorgt sein könne. Sie werde zum inneren Kreis des Volksaufstandes gehören, vorausgesetzt, dass sie ihn finanziell unterstütze.

»Zwar heißt es immer, dass die Revolution über kurz oder lang ihre Kinder frisst, doch in diesem Falle wird es kaum dazu kommen. Nicht mal Lenin hat seine Frau ins Gefangenenlager geschickt, obwohl die Krupskaja aus höheren Kreisen stammte und außerdem ein böses Mundwerk hatte, stimmt's, Hermanni?«

Lena Lundmark erkannte, wie heikel die Situation war. Sie begann, von der radikalen Phase ihrer Jugendzeit in Maarianhamina und Turku zu erzählen. Auch sie habe sich ein Poster des Partisanenführers Che Guevara in ihre Studentenbude gehängt und eifrig Revolutionslieder gesungen. Irgendwie denke sie mit Rührung an die Maidemonstrationen zurück, auf denen die Nachkommen der Kapitalisten gemeinsam mit den Werftarbeitern Transparente der Stalinisten getragen hatten und so schrecklich enthusiastisch gewesen waren. Nun, zum Glück liege die Aufstandsidee jetzt in sachlicheren Händen.

Lena versprach ihre finanzielle Unterstützung für den Kriegsplan. In der Praxis bedeutete das, dass das Duo weiter frei umherreisen durfte, während es zugleich die Pläne vollendete. Lena hatte beiden Männern ein Jahr freien Unterhalt garantiert, und sie gedachte, ihr Versprechen nicht zu brechen. Noch etwa zehn Monate waren übrig. Aber zuallererst musste ein Laptop angeschafft werden, dazu ein Modem und ein Drucker. Mit dieser Ausrüstung ließe sich leichter am Text arbeiten, und auf Disketten wäre er auch besser aufgehoben und bliebe eher geheim als in einem wirren Stapel maschinengeschriebener Blätter.

Sie vereinbarten, dass Ragnar ein detailliertes Programm erstellen sollte, nach dem die Männer fortan leben und reisen würden. Und zugleich erklärte Lena, dass dieses Kriegsseminar auch als eine Art Verlobung anzusehen war. Hermanni Heiskari ächzte und stotterte erschrocken:

»Nu denn, aber das kommt jetzt... ähm, na ja, bloß was soll so ein Waldmensch mit einer festen Frau anfangen.«

»Du solltest verständlich sprechen oder den Mund halten«, zischte Lena.

Jetzt machten sie sich über den vom Hotel bereitgestellten Picknickkorb her, der voller Delikatessen war. Er enthielt drei verschiedene Salatsoßen mit ebenso viel Salaten. Beigefügt war eine handgeschriebene kleine Speisekarte, auf der die Hauptzutaten für die Salate aufgezählt waren. Ragnar las vor, dass die Küche kalten, in Streifen geschnittenen nordfinnischen Lammbraten in Rosmarin-Moosbeeren-Soße empfahl (Olivenöl, darin ein klein geschnittener Rosmarinstängel, Moosbeerengelee und Weinessig). Als Nächstes entnahmen sie dem Korb Fleisch von freilaufender Tervola-Ente in Joghurt-Ingwer-Soße (bulgarischer Joghurt vom Typ Enigheten, ein Löffel schonischer Honig, eingelegter, gehackter Ingwer, mittelscharfer Turkuer Senf und Zitronensaft) sowie gekochte Äsche mit einer Soße auf Walnussbasis (darin außerdem Nuss- und Olivenöl, Weißweinessig und eine Spur Dijon-Senf) ... dazu gab es gebuttertes Gerstenbrot, Hering, gekochte Mandelkartoffeln, die dick in Papier eingewickelt und noch warm waren... das Kriegsseminar über die Elenden der Gesellschaft hätte keine angenehmere Fortsetzung finden können.

Der Wildmarkführer hatte drei feste Gefäße aus Baumrinde zurechtgeschnitten, mit denen die Ausflügler, wenn sie sich ein wenig vorbeugten, aus dem Junttijoki glasklares, kühles Wasser schöpfen konnten.

Der Picknickkorb enthielt außerdem zwei Flaschen des von Ragnar gewünschten Elsässer Gewürztraminers, es war ein weicher, fruchtiger, aromatischer und trockener Weißwein mit angemessener Säure, der aus Ragnars Sicht für diesen sonnigen Tag in freier Natur bestens geeignet war. Ragnar prüfte das Etikett, öffnete die Flasche und goss sich zunächst einen kleinen Probeschluck ein. Er hielt die Flüssigkeit gegen das Licht, schnupperte und nippte schließlich daran. Er rollte den Wein eine Weile auf der Zunge, und als er ihn schließlich herunterschluckte, wartete er noch eine Weile auf die Reaktion des Magens und auf den Nachgeschmack. Zufriedenheit machte sich in seinem Gesicht breit. Er füllte alle drei Gläser, denn er hatte den Wein für gut befunden. »Ausgezeichnet. Bitte sehr!«

Die beiden anderen folgten der Aufforderung. Lena wünschte, dass Ragnar seine Weinkenntnisse an Hermanni weitergab. Sie vermutete, dass der sich hauptsächlich an Selbstgebrannten hielt, wenn ihm der Sinn nach Alkohol stand.

Ragnar versprach, Hermanni als Erstes den Angebotskatalog von *Alko* zu besorgen, denn das war seiner Meinung nach der vielleicht beste Wegweiser in die Welt der Weine und der anderen alkoholischen Getränke, den es überhaupt gab. Hermanni äußerte sich verwundert darüber. Er hatte stets angenommen, dass die Läden des staatlichen finnischen Alkoholmonopols besonders engstirnig und abschreckend waren und dass ihr teures Angebot nicht gerade als Schatzkammer für den Weinkenner galt. Er hatte sein Leben lang zu hören bekommen, dass man in Finnland nichts von Weinen verstand, dass man nach Frankreich oder Deutschland fahren musste, wenn man anständige Getränke genießen und Trinksitten lernen wollte. Ragnar klärte Lena und Hermanni dahingehend auf, dass Finnlands *Alko* der größte Weinkäufer der Welt war und dass nicht einmal das entsprechende norwegische Monopol im Volumen mit *Alko* mithalten konnte. Mit ihrer jahrzehntelangen Erfahrung und mit der Macht des Geldes hatten die Einkäufer und anspruchsvollen Verkoster von *Alko* großartige Kontakte zu den Weinkellern der edelsten Anbaugebiete in der ganzen Welt geknüpft, und sie wählten für den Import nach Finnland nur beste Qualität aus. Nirgendwo sonst gab es diese Sachkenntnis bei der Auswahl, dem Import, der Lagerung und Vermarktung der Weine und bei der Anleitung zu ihrem Gebrauch.

Am Schluss seiner Tirade äußerte Ragnar seine tiefe Betrübnis darüber, dass jetzt, da *Alko* auf dem Höhepunkt seiner Blüte war, seine Monopolstellung bedroht wurde und das ganze großartige System zusammenzubrechen drohte.

Ragnar erklärte, dass er seine Steuern sehr gern zahlte, wenn sie den Weg über die Kasse von *Alko* nahmen. Dort bekam er wenigstens eine Flasche, um sich zu trösten.

Während der Salatmahlzeit röstete Hermanni beide Fische am Feuer, sie bildeten anschließend die Hauptmahlzeit, und zum Schluss entnahmen die Ausflügler dem Picknickkorb die Nachspeise, es waren Bratäpfel, die nach dem Garen gekühlt und mit saftigen wilden Waldbeeren gefüllt worden waren.

Lena Lundmark hatte sich im Laufe des Tages dermaßen in die schöne Landschaft verliebt, dass sie den Wunsch äußerte, mit Hermanni die Verlobungsnacht in einem Zelt am Flussufer zu verbringen. Sie würden gemeinsam von der Zukunft träumen – auch vom Guerillakrieg – und die Mitternachtssonne bewundern. Ragnar versprach, umgehend alles Erforderliche zu veranlassen.

Während der ausgedehnten Mahlzeit sorgten die Ausflügler dafür, dass der Unglückshäher mit dem grünen Sterz, der das Seminar den ganzen Tag begleitet hatte, seinen Teil vom Proviant abbekam.

Hermanni erzählte, dass dieser Vogel das Maskottchen aller lappländischen Holzfäller war. Er pflegte sich in der Nähe des Lagerfeuers niederzulassen und zu flöten, und er kam sogar zutraulich näher, um sich von Hand füttern zu lassen. Aber wenn der Unglückshäher erschrocken fortflog, war das ein böses Omen. Dann starb der betreffende Holzfäller im Allgemeinen und wurde, wie wir bereits wissen, zu einem Rentier.

18

Ragnar Lundmark organisierte zusammen mit Wildmarkführer Santeri Näljänkäläinen noch für denselben Abend ein
großes blaues Hauszelt, das im Inneren ein aus weißer Gaze
genähtes Mückenzelt für zwei Personen beherbergte. Als
Schlafunterlage dienten zwei weiche Luftmatratzen, dazu
gab es Daunenkissen und saubere Laken. Eine Kühltasche
mit Snacks und Getränken wurde im Vorzelt untergebracht,
ein Campingtisch und Stühle vervollständigten die Einrichtung des Verlobungsnestes. Das Mückenzelt bot freien Ausblick auf den Junttijoki, dahinter waren die Teno-Fjälls auf
norwegischer Seite zu sehen, deren höchste Erhebung mit
mehr als tausend Metern der Rastigaissa war.

Santeri konnte sich nicht verkneifen zu erzählen, dass
zuletzt in ebendiesem Zelt ein Bischof aus Minnesota
zusammen mit seinem Sekretär übernachtet hatte. Die
beiden hatten vom Zelt aus Forellen geangelt. Der Reißverschluss an der Öffnung war danach erneuert worden.
Damals hatte das Zelt am Vaskojoki gestanden, in der Nähe
des Kinderheimes von Riutula, dessen Schirmherr der
Bischof war. Der Schwarzrock war ein ehemaliger Pastor
der US-amerikanischen Luftwaffe, der in den Siebzigerjahren vorübergehend Seelsorger eines Stützpunktes in
Deutschland gewesen war und die Soldaten begleitet
hatte, wenn sie in einer Transportmaschine Weihnachts-

geschenke nach Riutula gebracht hatten. Mehrere Tonnen
Mickymäuse und Teddybären, um Lapplands Kinder zu
beglücken, jedes Jahr.

Das Paar lag in schönstem Einvernehmen in den Daunenkissen. Die beiden blieben lange wach und lauschten dem
Rieseln des Junttijoki jenseits der Böschung. Die Sonne
versteckte sich hinter dem Rastigaissa, und die Sommernacht füllte sich mit nebliger Dämmerung. Hermanni
Heiskari gestand sich ein, dass diese Verlobung mit einer
faktisch wildfremden Witwe einfach so passiert und dass
er sich überhaupt nicht sicher war, wohin das alles führen
würde, eine Situation, wie sie die fliegenden Gesellen oft
erlebten.

Lena Lundmark spürte die Unruhe des Mannes, die ihr
irgendwie gefiel. Sie erzählte von ihrer Kindheit in Åland,
ihrem Elternhaus in Lumparland. Es war ein großes Haus,
eigentlich schon mehr ein Herrenhaus gewesen. Lenas Vor-
fahren waren Seeleute und Fischer gewesen. Im vergangenen Jahrhundert hatten sie eine Segelflotte mitbegründet,
und daraus stammte Lenas Vermögen. Aber ihr Vater war
kein Seemann, sondern eigentlich Abenteurer, Kaufmann
und Soldat gewesen. Nur die sparsame Haushaltsführung
der Mutter hatte die Familie vor dem Konkurs bewahrt. In
seiner militärischen Laufbahn war der Vater bis zum Gene-
ralmajor aufgestiegen. Während des Krieges hatte er als
Major in der finnischen Armee gedient und an der Front
von Hanko gekämpft. Er war Experte für Ballistik gewesen. Als Bürger von Åland hätte er nicht die militärische
Laufbahn wählen können, denn die Insel war durch internationale Verträge demilitarisiert, und so hatte die Familie
jahrelang in Tammisaari gewohnt. Zu Hause war es mehr-
sprachig zugegangen, die Mutter hatte Schwedisch gespro-

chen, der Vater hauptsächlich Finnisch und Französisch. Er war ein rechter Filou gewesen, mit einem übermäßigen Interesse an Frauen. Später war er Militärattaché in Paris geworden und dort an einem Gallenanfall gestorben, als Lena noch klein war.

Das alte Haus der Lundmarks in Lumparland war noch erhalten, heute beherbergte es eine Kunstgewerbeschule und ein kleines Café. Lena erinnerte sich noch gut an die grasbewachsenen Wege und die Bootshäuser und Stege mit Blick auf den offenen Lumparsund. Zu Mittsommer hatte man unter einem gewaltig hohen, geschmückten Maibaum Reden gehalten, gesungen und gespielt. Das Büro der lundmarkschen Reederei und auch der Spedition befand sich heute in Maarianhamina, aber Lena besaß auch in Helsinki eine Wohnung und Geschäftsräume.

Kurz vor Mitternacht rief Ragnar vom Hotel aus per Handy im Zelt an, erkundigte sich nach dem Ergehen der beiden und wünschte eine gute Nacht.

»Flötet der Häher mit dem grünen Arsch immer noch dort herum?«, fragte er mit etwas schwerer Zunge. Aus der für ihn ungewöhnlich groben Ausdrucksweise zu schließen, hockte er an der Bar und fühlte sich einsam.

Der Barmann schnappte die an sich unbedeutende Frage auf und wollte sofort Näheres wissen. Der Vogel war nämlich äußerst selten.

Am Junttijoki setzten die Brautleute ihre Unterhaltung über Lenas Kindheit fort. Irgendwo draußen am Teno schrie ein Wasservogel mit melancholischer Stimme, vielleicht ein Zwergsäger. Vom Fluss stieg blaugrauer Nebel auf. Lena kuschelte sich dicht an Hermanni und flüsterte, dass sie als Kind manchmal auf dem Dachboden des Bootsschuppens übernachten durfte. Ohne Nanny, man stelle sich vor! Jetzt war die Stimmung ganz ähnlich. Lena wusste heute noch, wie ihr am Morgen die Zehen gefroren hatten, wenn sie, das schlaftrunkene kleine Mädchen, ins große Haus hinaufgetrabt war, um am Frühstück im Speisesaal teilzunehmen. Sonntags hatte es dort immer ein »Branntweinbüfett« gegeben, mit vielen verschiedenen kalten Fischgerichten, mit Aufschnitt, Kaffee und Tee und Schnaps für die Erwachsenen.

Hermanni lauschte gern ihrem Bericht, äußerte von Zeit zu Zeit ein interessiertes »Hm«. Ihm entschlüpfte die Bemerkung, dass Åland anscheinend ein ebenso abgelegener Erdenwinkel wie Lappland war. Lena hob die Stimme und erteilte ihm eine Lektion in politischer Geografie. Åland war im Grunde genommen der Nabel des Nordens, besiedelt schon seit prähistorischen Zeiten. Während der Zeit, da Schweden eine Großmacht gewesen war, war es das Zentrum der Ostseeregion gewesen, umringt von Schweden, Finnland, dem Baltikum und Deutschland. Nun ja, später dann, als die Inselgruppe in den Zwanzigerjahren des zwanzigsten Jahrhunderts auf Beschluss des Völkerbundes an Finnland angeschlossen worden war, hatte sie ein Dasein am Rande des neuen Mutterlandes gefristet.

Hermanni konnte sich den Hinweis nicht verkneifen, dass Lappland erst recht eine bedeutende Lage hatte. Im Süden grenzte es an Groß-Finnland, im Westen an den Atlantik, im Osten an das riesige Russland und im Norden ans Eismeer und den Nordpol.

Lena gab zu, dass Lappland im Sommer zauberhaft war, aber die winterliche Dunkelheit bedrückte vermutlich die Leute. Hermanni wusste jedoch zu entgegnen, dass man den Winter im Schein des Polarlichtes verbrachte.

»Als Taschenlampe benutzen wir den Polarstern.«

Bevor sie einschlief, müde nach dem Tag an der frischen Luft, stellte sich Lena vor, wie es wohl für sie wäre, wenn es Hermanni tatsächlich gelänge, einen Krieg zu entfachen. Die Möglichkeit war durchaus gegeben, verrückt genug waren die Leute hier oben im Norden. Und wenn er den Krieg gewinnen würde, dann … Lena malte sich aus, dass sie die Geliebte eines Guerillachefs und später die Ehefrau des Mannes wäre, der für die Bildung der Übergangsregierung zuständig sein würde. Sie könnte während der internationalen Friedensverhandlungen, warum nicht auch generell, Dolmetscher- und Diplomatenaufgaben übernehmen. Sie würde sich an die Spitze einer Stiftung zugunsten von Kriegswaisen und -witwen stellen und in der Welt herumreisen, um vom heldenhaften Kampf des tapferen Volkes zu berichten und so finanzielle Mittel und diplomatische Anerkennung für den neuen Staat der kleinen Leute zu sammeln. Lena schlief mit dem Gedanken ein, dass sie unter diesen Umständen womöglich zur mächtigsten Reederin Europas würde, zu einer Frau, die mehr Einfluss hatte, als sie zu nutzen imstande sein würde. Lena liebte ihre kindlichen Träume, und sie zögerte sie hinaus, bis sie glücklich einschlief.

Am Morgen erwachte Lena frisch und munter. Hermanni schlief neben ihr noch seinen tiefen Holzfällerschlaf, sein Brustkorb hob und senkte sich in einer Art, die Sicherheit ausstrahlte. Lena bemerkte, dass sie nackt war, wie praktisch. Sie ging nach draußen ans Flussufer und glitt langsam in das kühle Wasser, um sich zu waschen. Zunächst jedoch stand sie bis zum Hals im Fluss, die Zehen im Grund vergraben, und betrachtete die Sonne, die im Osten aufgegangen war.

Am Ufer des Junttijoki lauerten Scharen seltsamer Männer,

die sich ganz still verhielten. Sie hatten auf der Böschung Stative aufgestellt, um Feldstecher und Kameras darauf zu befestigen. Die Teleobjektive starrten mit unverschämten Glotzaugen auf die nackte Frau im Fluss. Lena Lundmark hatte üppige Brüste, einen schmucken Nabel und eine bildhübsche Bauchrundung, alles was recht war. Aber wenn man ganz genau hinsah, stellte man fest, dass die Kameras und Feldstecher an der weiblichen Schönheit vorbei und auf die Büsche am gegenüberliegenden Flussufer gerichtet waren, wo das zarte Flöten eines Hähers zu hören war. Verdutzt und wütend rannte Lena ins Zelt, um Hermanni zu wecken.

Es zeigte sich, dass sich in der Nacht und am Morgen mindestens fünfzig Ornithologen ans Flussufer geschlichen hatten, echte Freaks, die den heißen Tipp bekommen hatten, dass ein überaus seltener Grünschwanzhäher aufgetaucht war. Ständig trafen weitere Männer und auch ein paar Frauen ein. Die weiteste Anfahrt hatten die Leute aus Oulu gehabt, aber es war zu erwarten, dass am Vormittag noch Ornithologen aus Helsinki und Turku dazukämen, dass die Esten und Südschweden bis Mittag und die Dänen gegen Abend eintreffen würden. Die mit Tarnanzügen und Gummistiefeln bekleideten Vogelfans liefen mit glühenden Blicken herum und fragten, wann jener Häher zuletzt gesichtet worden sei und wo er sich jetzt verstecke.

Da blieb dem Paar nichts anderes übrig, als aufzustehen und sich anzuziehen. Nach einem leichten Feldfrühstück bestellte Lena ein Taxi und fuhr mit Hermanni ins Hotel zurück. Dort traf ein endloser Strom von Autos aus dem Süden ein, andere Ankömmlinge hatten sich vom Flughafen Ivalo aus ein Taxi genommen, denn dort waren mit der Frühmaschine hundert weitere Freaks gelandet.

Frau Lena Lundmark konstatierte, dass der Verlobungs-
urlaub somit zu Ende sei. Eigentlich zog es sie auch bereits
wieder nach Maarianhamina und zu ihren Geschäften. So
fuhren die drei denn im Taxi nach Ivalo, flogen von dort nach
Rovaniemi und übernachteten im *Pohjanhovi*. Am nächsten Morgen kaufte Lena einen leistungsfähigen Laptop
und dazu ein Modem, einen Drucker sowie ein Mobiltele-
fon. Da Hermanni Heiskari noch nie solche Geräte bedient
hatte, nahm Lena ihren fliegenden Gesellen und Guerillaführer buchstäblich bei der Hand, um ihm einen Schnell-
kurs in Datentechnik zu geben. Bis zum Lunch war all das
erledigt, und als sie sich abends im Restaurant trafen, um
Lenas Abschied zu feiern, hatte Ragnar bereits Vorschläge
für Tages- und Wochenprogramme für die kommenden
Reisemonate gespeichert. Er hatte mehrere Alternativen
ausgedruckt, die er Lena und Hermanni übergab, damit sie
sich damit vertraut machen konnten. Nun galt es, einen
Ablaufplan für den Herbst, den Winter und das Frühjahr
bis hin zum nächsten Frühsommer zu erstellen, denn dann
wäre das Prämienjahr vorbei, das Hermanni Heiskari sich
verdient hatte, als er Frau Lundmark auf dem trügerischen
Eis des Inarisees das Leben rettete.

Die drei saßen im Hotelrestaurant an einem Fenstertisch
mit Blick auf den ruhig dahingleitenden Kemijoki, von
dem sie nur der angrenzende Park mit einem schmalen
Streifen Rasen trennte. Hermanni betrachtete wehmü-
tig die Strömung. Als Lena ihn fragte, was ihn so traurig
mache, sagte er leise:

»Hab nur gerade überlegt, wie viele Millionen Stämme, die
ich selber gefällt habe, hier wohl schon vorbeigeschippert
sind. Eigentlich hätte man sich das Leben auch leichter
machen können.«

Sie bestellten die viel gerühmte »Nördliche Rhapsodie«, und während sie warteten, studierten sie Ragnars Vorschläge für das Programm der kommenden Monate.

Ragnar hatte mehrere Seiten mit verschiedenen Alternativen beschrieben und sie auf A4-Bögen ausgedruckt. Da sie zehn Monate Zeit zur Verfügung hatten, könnten sie ein sehr intensives allgemeinbildendes Programm absolvieren, erklärte er. Er plante, sich zusammen mit Hermanni der bildenden Kunst, der Architektur, der Kulturgeschichte, der Musik, der Literatur und der Gastronomie zu widmen – und all das erforderte natürlich ausgedehnte Reisen.

An dieser Stelle warf Hermanni ein, dass seinetwegen nicht beim Urschleim angefangen werden musste. Als er ein junger Bursche gewesen war, hatte er sich intensiv mit bildender Kunst beschäftigt, hatte bei einem professionellen Maler in Rovaniemi studiert, außerdem hatte er auch einen Roman geschrieben, der allerdings nicht veröffentlicht worden war, und zwar aus dem unbegreiflichen Grunde, dass er, Hermanni, nicht eingewilligt hatte, die vom Verleger vorgeschlagenen geringfügigen Veränderungen im Manuskript vorzunehmen. Hermanni hatte letztlich Erfahrungen in zwanzig verschiedenen Berufen, er war sogar einen Sommer lang Redakteur bei der Regionalzeitung *Pohjolan Sanomat* gewesen und wäre wohl beim Journalismus hängen geblieben, wenn er nicht über Ahti Karjalainens Besuch in Kemi einen so oberflächlichen Artikel geschrieben hätte. *Pohjolan Sanomat* war zu jener Zeit das Organ der Agrarunion und Ahti Karjalainen Repräsentant ebendieser Partei und finnischer Außenminister gewesen. Hermanni hatte mit Ahti nach dessen Vortrag ein wenig gesoffen, und dadurch war ihm Ahtis Rede über die Direktiven zur Politik der Nordkalotte irgendwie entfallen.

Am nächsten Tag hatte er die Rede aus Erinnerungsbruch-
stücken selbst zusammengebastelt und in die Zeitung
gesetzt, und daraufhin hatte es Knatsch gegeben. Hermanni hatte dem Minister Aussagen über die Nordkalotte
in den Mund gelegt, die allgemeine Bestürzung hervor-
gerufen hatten, und nicht nur das Ministerium, sondern
sogar das Büro des Staatspräsidenten hatte jede Menge
Fragen beantworten müssen. Etwa, warum von Kemijärvi
keine Bahnstrecke nach Salla und Petsamo gebaut werden
konnte, damit Finnland im Gegenzug einen Winterhafen
oben am Eismeer bekam.

Lena Lundmark äußerte, dass die fliegenden Gesellen hier
oben im Norden recht umtriebig zu sein schienen, sie
waren kompetent in allen Dingen und machten kaum Auf-
hebens um ihre früheren Verdienste.

Ragnar blickte Hermanni finster an und wechselte das
Thema:

»Wenn du es mir nicht übel nimmst, bleibe ich bei meiner
Empfehlung, dass du Gesellschaftstänze lernen solltest –
ich selbst biete mich als Lehrer an –, und außerdem könnten wir an deinen Manieren feilen. Auch würde ich mir
wünschen, dass wir der Bekleidungskultur mehr Aufmerksamkeit schenken und deine Weinkenntnisse vertiefen.«

»Nu denn.«

Jetzt bestünde auch die Chance, die Sprachkenntnisse des
fliegenden Gesellen zu verbessern. Hermanni behauptete,
in seiner Jugend eifrig Schwedisch und Englisch gelernt
zu haben. Er hatte einen ganzen Winter in der christlichen
Volkshochschule von Nivala verbracht, und zwar hatte er
den sogenannten allgemeinen Kurs besucht ..., dort hatten
sie tüchtig Englisch gepaukt, zwei Stunden pro Woche, und
zuvor hatte er bereits Grundkenntnisse durch sein Eng-

lischstudium an der Fernschule der Volksbildungsgesellschaft erworben. Um sein Können unter Beweis zu stellen, sagte er zu Lena, nachdem er sich die kunstvollen Formen der schwierigen Sprache ins Gedächtnis gerufen hatte:
»It's very great what normal timberman is felling birch logs per day, my lady.«
Ragnar machte den Vorschlag, dass sie vielleicht im späteren Herbst zu einer intensiven Auffrischung der Sprache nach London reisen könnten. Er kannte in England eine sehr effektive Sprachschule, in der der Unterricht in Gesprächsform erfolgte. Vor allem im Rahmen der gemeinsamen Mahlzeiten und des abendlichen Beisammenseins konnte man dort die Nuancen der Alltagssprache erlernen, die vermutlich beim Fernstudium, durch die Umstände bedingt, weniger Beachtung fanden.
Auf Ragnars Liste standen außerdem eine Reihe anderer sympathischer Aktivitäten wie Golf, Segeln, Tontaubenschießen, Reitwettkämpfe, Galopprennen, Polo..., natürlich auch Schach und die Einführung in die Welt der internationalen Spielkasinos. Den letztgenannten Stätten sollte man sich allerdings mit gewisser Vorsicht nähern, mahnte er.
Lena Lundmark hielt es für wichtig, dass das Duo auf seinen Reisen nicht herumgammelte und sich mit irgendwelchen zweitklassigen und vulgären Dingen die Zeit vertrieb. Sie fand, dass man das Leben energisch und zupackend genießen sollte und sich nicht treiben lassen durfte, denn das beeinträchtige das Vergnügen. Doch ganz so gründliche Abenteuer wie jene, denen einst ihr Vater nachgejagt war, mussten es nicht gleich sein.
Ragnar las ein Beispiel aus seinem siebentägigen Wochenprogramm vor, demzufolge man sich den irdischen Genüs-

sen mit der gleichen Intensität widmen würde, als wenn man zur Arbeit ginge.

Montag: Fahrt in irgendeine interessante Gegend, die man näher kennenlernen möchte. Falls vorhanden, Besuch des Militärmuseums.

Dienstag: Besuch der lokalen Natursehenswürdigkeiten.

Mittwoch: Genuss guter Speisen und Weine.

Donnerstag: Gänzlich dem Kunstgenuss gewidmet.

Freitag: Freiluftaktivitäten mit Abenteuercharakter.

Samstag: Besuch der Oper, des Spielkasinos oder des Theaters.

Sonntag: Ruhetag und Planung des Programms für die nächste Woche.

Nicht extra erwähnt wurde, dass jeweils an den Werktagen an Hermannis Aufstandsplan gefeilt werden und weitere militärische Informationen dazu eingeholt würden. Desgleichen würden Sprachen gelernt und mehrere Stunden der Beschäftigung mit der klassischen Literatur gewidmet.

In diesem Stadium des Abends war die Vorspeise verzehrt, und das üppige Hauptgericht, die »Nördliche Rhapsodie«, wurde serviert. Auf einem großen Silbertablett war eine Komposition von in Butter gebratenem Lachs, dünnen gerösteten Rennoisetten, Brustfleisch von gekochtem Schneehuhn und glasierter Rentierzunge angerichtet, der Rhapsodiecharakter wurde aufs Angenehmste unterstrichen durch die herrlichen Wild- und Steinmorchelsoßen, gegrillten Tomaten, Dillbutter, Champignons, Pommes duchesses, eingelegten Zwiebeln, Mixed pickles, Sanddorngelee und was sonst noch so dazugehörte.

Den Wein wählte diesmal Lena aus. Aus dem Angebot des

Pohjanhovi bestellte sie zum Essen den angenehmen und erstklassigen Mouton-Rothschild Pauillac, und als der sich als ausgezeichnet erwies, wurde gleich noch eine zweite Flasche bestellt.

Lena erzählte, dass ihr Vater Gefallen an ebendiesem Wein gefunden hatte, als er als junger Offizier an der französischen Militärakademie studiert hatte. Hermanni und Ragnar wunderten sich nicht darüber. Der Wein war von 1983, also ein besonders guter Jahrgang.

Zufrieden registrierte Lena, dass ihr anverlobter Lebensretter, der fliegende Geselle Hermanni Heiskari, innerhalb von zwei Monaten gute Weine zu schätzen gelernt hatte und sich ehrlich über die Delikatessen, die vor ihm standen, zu freuen vermochte, unaufgeregt und entspannt wie ein Gentleman, der sich in der Welt der Genüsse bestens auskennt. Lena sah in ihm den edlen und wilden Guerillachef aus den Wäldern, der sich nach kurzer Eingewöhnung sogar in den höchsten Kreisen wie zu Hause fühlte.

Oberst Ragnar Lundmark, dessen Wangen bereits leicht glühten, hob sein Glas und schwärmte von den kommenden Monaten:

»Stell dir vor, wir besuchen eine Ausstellung von Salvador Dali in Zürich oder sonst wo, schlürfen in Paris die edelsten Weine der Welt, speisen zu Abend in der kameradschaftlichen Enge der Offiziersmesse eines argentinischen U-Bootes auf einem Atoll im Stillen Ozean..., machen einen Abstecher ins Nördliche Eismeer, um auf den Vogelklippen der Bäreninsel den wilden Schreien der Papageientaucher zu lauschen, oder wir reisen vielleicht nach Afrika in die Serengeti zu den wilden Tieren, ruhen uns nach einem heißen Tag unter dem kühlen Schutz eines Moskitonetzes aus..., nur um von diesen Ausflügen wieder in die Metropolen und die glamouröse Welt der Salons zurückzukehren. Und dort hoffen wir dich zu treffen, liebste Lena! Skål!«

Lena Lundmark verspürte das Bedürfnis, die Toilette aufzusuchen. Auch die Männer nutzten die Gelegenheit zu einem Besuch des Pissoirs. Dort standen sie einträchtig nebeneinander vor den Porzellanbecken, und Ragnar schwor mit dem Unterton des fürsorglichen Butlers:

»Vor uns liegt eine Folge fantastischer Genüsse, fast ein ganzes Jahr lang! Wir werden im Glück schwimmen! Wir können die besten Delikatessen der Welt genießen, sehen die schönsten Landschaften, riechen engelhafte Düfte, erleben die göttlichsten Dinge, alles, was sich auf dieser Welt nur derjenige leisten kann, der unermesslich viel Geld und ein ausgezeichnetes Organisationstalent besitzt.«

Als Lena an den Tisch zurückkehrte, erkundigte sie sich, was Hermanni von dem Programm hielt, das beim Abendessen zur Sprache gekommen war. Hatte er noch irgendwelche speziellen persönlichen Wünsche?

In bescheidenem Ton äußerte Hermanni, dass er, zusätzlich zu alledem, einfach nur den Wunsch des gewöhnlichen Vagabunden hatte, eine Reise um die Welt zu machen.

Lena warf ihm über ihr Moltebeerenparfait hinweg einen verliebten Blick zu und versprach:

»Aber natürlich, liebster Hermanni, Ragnar und du, ihr könnt in der Zeit sogar zwei oder drei Mal um die Welt reisen, es liegt ganz in eurem eigenen Ermessen.«

Im tiefsten Inneren fühlte sich Hermanni wie ein schmieriger Gigolo oder zumindest wie ein Pflegekind, ein Brathähnchen von Holzfäller, aber er hatte nicht die Zeit und eigentlich auch keinen Anlass, diesen Gedanken weiter zu vertiefen.

Dritter Teil

19

Hermanni und Ragnar brachten Lena am Morgen zum Flugplatz. Sie hatte es eilig und wollte über Helsinki nach Maarianhamina reisen, um sich ihren Geschäften zu widmen. Auf dem windigen Flugfeld umarmte Hermanni sie zum Abschied. Zum ersten Mal wünschte er sich, sie möge länger oder sogar für immer bleiben, und er wartete extra auf dem Flugplatz, bis er die donnernde Düsenmaschine in steilem Winkel zum Himmel aufsteigen sah. Er hatte einen Kloß in der Kehle, musste schlucken. Hermanni hatte sich verliebt. Ragnar Lundmark fand dafür die Worte:

»Wie mir scheint, herrscht in deiner Brust momentan ein ziemliches Chaos der Gefühle.«

Ragnar war übergangslos in seine alte Rolle als Butler geschlüpft, auch wenn er Hermanni nicht mehr siezte.

Als sie zur Tagesordnung und in die Stadt zurückkehrten, stellten sie auf einmal fest, dass Hermanni gar keinen Reisepass besaß. Ragnar faxte an den Landpolizeikommissar von Inari und erhielt bald darauf aus dessen Büro die Antwort, dass es vom Zeitpunkt der Beantragung zwei Wochen dauern würde, bis das Dokument ausgestellt war. Also marschierten sie in ein Fotostudio, und anschließend musste Hermanni nochmals nach Ivalo fliegen. Ragnar blieb diesmal in Rovaniemi, um den Aufstandsplan ins

Reine zu schreiben und auf Disketten zu speichern. In dieser Form würde sich der Text leichter bearbeiten, sicherer handhaben und vor allem auch bequemer transportieren lassen.

Als Hermanni von seinem Ausflug zurückkehrte, berichtete er, dass er den Pass Mitte August bekommen würde. Bei seinem Besuch im Kommissariat hatte man ihn auch wegen des Brandes in seiner Hütte in Porttipahta vernommen. Die *Kemijoki* AG als Eigentümer verlangte von Hermanni eine Entschädigung für den Verlust. Hermanni als der Mieter hatte die Forderung zurückgewiesen mit dem Hinweis, dass es Brandstiftung gewesen sei, an der er keinerlei Anteil habe.

Ragnar hatte einen fertigen Vorschlag für das Programm der nächsten Tage. Sie würden zum Opernfestival nach Savonlinna fahren. Bei derselben Gelegenheit könnten sie sich auch die Höhlengalerie *Retretti* in Punkaharju und das unweit davon neu eröffnete Waldzentrum Lusto ansehen, das mit seiner thematischen Ausrichtung speziell den Holzfäller interessieren würde, wie Ragnar annahm. Hermanni akzeptierte den Plan, und so machten sie sich nach Savonlinna auf, wo es Ragnar gelang, Karten für eine Aufführung von Verdis machtvoller *Aida* zu besorgen.

Hermanni besaß für den Opernbesuch keinen Anzug, sondern nur eine Kombination aus Sakko und Hose. Ragnar beschloss, ihm bei nächster Gelegenheit zwei Anzüge und mindestens einen Smoking, wenn nicht gar einen Frack zu besorgen. Nun, wie auch immer, diesmal musste sich auch Ragnar alltäglicher kleiden, als er es sonst bei Opernbesuchen tat. Er trug einen mittelgrauen Anzug und dazu eine etwas dunklere Fliege. Hermanni musste anerkennen, dass sein Butler herrschaftliche Eleganz ausstrahlte, die grauen Schläfen und der graue Anzug passten Ton in Ton zusammen. Die für einen Oberst typische gerade Haltung unterstrich den angenehmen Gesamteindruck. Instinktiv streckte auch Hermanni sich, als sie in den Hof der Burg Olavinlinna traten und ihre Plätze unter dem Regendach einnahmen, um die Oper zu genießen.

Hermanni Heiskari war zum ersten Mal in seinem Leben in der Oper. Unbewusst hatte er diese Art von Gebrüll stets abgelehnt, aber als er jetzt die machtvolle Aufführung sah und hörte, war er total begeistert. Die Handlung war faszinierend einfach. Die wunderbare äthiopische Prinzessin Aida kommt als Sklavin nach Ägypten. Hochgestellte ägyptische Männer verlieben sich in das Mädchen. Die Ägypter machen einen Feldzug nach Äthiopien, wo Aidas Vater gefangen genommen wird. Es folgen allerlei Intrigen, und am Ende wird der hochgestellte Geliebte des Mädchens zum Tode verurteilt, mit ihm schließt sich auch die unglückliche Sklavenprinzessin in die Grabkammer ein.

Hermanni klatschte sich anschließend die Hände wund, so sehr hatte ihn die Aufführung beeindruckt. Ein wenig verbittert beklagte er, dass ihm nicht schon früher, in seiner Jugend, solch ein Erlebnis geboten worden war. Garantiert wäre er nicht nur fliegender Geselle, sondern auch Opernfreund geworden, aber in der Wildmark oben im Norden gab es nun mal keine Operngastspiele.

Am nächsten Tag fuhren sie mit dem Taxi nach Punkaharju, wo sie sich unter die Erde begaben, um sich die Sammlungen im Kunstzentrum *Retretti* anzusehen. In den hohen Grotten waren russische Kostbarkeiten aus der Zarenzeit ausgestellt. Gold, Diamanten, insgesamt ein Glanz, dass es dem Besucher den Atem nahm.

Hermanni erklärte Ragnar die anderen aktuellen Sammlungen, Gemälde und Grafiken, denn er hatte sich ja in seiner Jugend mit bildender Kunst befasst und alles an finnischsprachiger Fachliteratur verschlungen, was er damals, in den Sechzigerjahren, in die Hände bekommen hatte. Seine Rede wimmelte von Fachtermini, die er sich einst in seinem Eifer eingeprägt hatte.

Am Nachmittag vertieften sie sich ins Waldzentrum Lusto. Es war eine riesige Einrichtung. Auf mehreren Etagen waren Ausstellungen über Wald und Waldarbeit, Papierindustrie und Naturschutz untergebracht. Ragnar Lundmark hatte keine Ahnung gehabt, dass die fliegenden Holzfäller einem für die Volkswirtschaft so wichtigen Erwerbszweig zur Blüte verholfen hatten. Beim Rundgang durch die Ausstellungen gewannen die Besucher den Eindruck, dass fast alles auf dieser Welt irgendwie mit dem Wald, dem Holz und seiner Verarbeitung zusammenhing.

Wenn der Waldarbeiter neben einem Baum stand, den er gefällt hatte, kam ihm gar nicht der Gedanke, dass aus seiner Hände Arbeit außer Stämmen auch Schnaps, Stoffe, Essen ... und vor allem Geld wurde. Als Hermanni die Werkzeuge vom Beginn der Sechzigerjahre wie Äxte, Motorsägen und Transportschlitten betrachtete, überkam ihn Bitterkeit. Auch er hatte sich, verdammt noch mal, mit diesen Geräten in den tiefen Wäldern abgeplagt, er hatte den Wohlstand der Herren gemehrt und das Bruttosozialprodukt gesteigert. Und was hatte ihm das alles eingebracht? Er bekannte Ragnar gegenüber, dass in dieser Ausstellung, die ihn zwangsläufig an die Schufterei seiner Jugendjahre erinnerte, seine Entschlossenheit zur Revolte nur noch wuchs. Kein Wunder, wenn er in seiner Wut manchmal all die Herren Finnlands am liebsten erschießen würde. Einfach die ganze Bande, die Kasinoclowns und verfluchten Sanierer, aufmarschieren lassen und mit dem Maschinengewehr niedermähen!

Von Savonlinna aus fuhren sie nach Helsinki, um Kleidung einzukaufen und bei Hermanni Maß nehmen zu lassen. In einem einschlägigen Geschäft in der Aleksanterinkatu durfte er aus dem Angebot an eleganten Stoffen jene auswählen, aus denen seine neuen Anzüge geschneidert werden sollten. Butler Ragnar beriet ihn diskret dahingehend, dass er Stoffe mit weichem Fall und aus Wollmischgarn nehmen sollte, deren Farben und Muster stilvoll, zugleich aber auch jugendlich waren. Drei Anzüge wurden bestellt, ein leichterer für Alltagszwecke, dazu ein zweireihiges Modell in fast blaugrauem Farbton sowie ein schwarzblauer Smoking.

»Einen Frack können wir bei einem Schneider auf dem Kontinent in Auftrag geben, falls sich die Anschaffung als notwendig erweisen sollte«, entschied der Butler.

Sie suchten noch verschiedene andere Geschäfte auf, um Hemden, Strümpfe, Unterwäsche, Krawatten und Fliegen einzukaufen. Die Wartezeit für die Anzüge betrug einen Monat, aber nach drei und einer halben Woche war vor der endgültigen Fertigstellung nochmals eine Anprobe erforderlich. Nun, die Zeit hatten sie, schon allein, weil Hermanni auf seinen Pass aus Inari warten musste.

Ragnar erzählte von einer Methode, die früher praktiziert worden war. Wenn der Schneider einem Gentleman einen fertigen Anzug aushändigte, stellte er ihm zugleich einen Mann vor, den er selbst ausgewählt und der genau die gleiche Figur wie der Auftraggeber hatte. Dieser Mann, ein armer Schlucker zumeist, hatte die Aufgabe, den neuen Anzug nach Anweisung des Schneiders zwei Wochen lang täglich ein paar Stunden zu tragen, damit er sich richtig zurechtzog. Danach wurde das gute Stück sorgfältig gelüftet und gebügelt, und erst jetzt hatte es die endgültige Fasson, die der Auftraggeber akzeptieren konnte.

»In England zum Beispiel wurden vor dem Zweiten Weltkrieg Studenten und Lakaien zum Probetragen, also für die Erstbenutzung von Anzügen, gedungen. Erforderlich war, dass die betreffenden Personen ein beherrschtes Wesen hatten, und sie mussten arm genug sein, sich auf die Sache einzulassen. Außerdem durften sie auf keinen Fall in dem Anzug öffentliche Feste besuchen, auch wenn es sich um Festkleidung handelte, denn dann wäre das gute Stück in der feinen Gesellschaft bereits bekannt gewesen.«

Einmal war ein unvorsichtiger Erstbenutzer jedoch über die Stränge geschlagen und im nagelneuen Jackett eines Lords zu einer Studentenfeier gegangen, hatte noch ordentlich angegeben mit dem noblen Stück, hatte, an Alkohol nicht gewöhnt, zu viel getrunken und das Jackett sogar beschmiert, ehe man ihn achtkant aus dem Saal geworfen hatte. Der arme Bursche hatte dem Schneider den vollen Preis erstatten und somit seine Studien für mindestens ein Jahr unterbrechen müssen, denn damals kostete so ein Jackett ein Vermögen.

»Zur finnischen Demokratie gehört kein Probetragen von Anzügen, sodass du die neuen Stücke sozusagen kalt anziehen musst«, sagte Ragnar bedauernd.

Hermanni versprach, tapfer jenes Gefühl der Steifheit zu erdulden, das neue Festklamotten ihrem Träger anfangs vermittelten.

Auch der Schuhkauf war eine anspruchsvolle Angelegenheit. Es reichte nicht, dass man das gewählte Paar anzog und mit dem Schuhlöffel zurechtrückte. Zunächst musste man den Schuh gründlich untersuchen und die Weichheit des Leders, die Qualität der Nähte, die Form, die allgemeine Elastizität prüfen. Beim Anprobieren musste man beide Schuhe anhaben, musste eine ganze Weile damit herumlaufen und dabei die Zehen spreizen und krümmen, um auszuprobieren, wie sich der Schuh dem Fuß anpasste. Die Strümpfe mussten genau die Stärke haben, die man auch später in diesem Schuh tragen würde. Für jedes Paar Schuhe musste man sich unbedingt einen gesonderten Satz Strümpfe anschaffen. Schuhe sollte man niemals müde und auch nicht zu spät am Nachmittag kaufen, sondern die beste Zeit war vormittags gegen elf Uhr, auf jeden Fall vor dem Lunch. Dann waren die Füße am normalsten, noch nicht müde oder geschwollen von den Laufereien des Tages.

Ragnar erzählte, dass seinerzeit nicht nur die Schneider in England – und möglicherweise auch die auf dem Kontinent – neue Kleidungsstücke von Versuchspersonen tragen ließen, auch die Schuhmacher verfuhren nach dieser Methode, sie übergaben die maßgefertigten Schuhe Männern, die sie einliefen, damit sie geschmeidig wurden und sich den empfindlichen Füßen des Auftraggebers besser anpassten. Diese Erstbenutzer zu finden war für die Schuhmacher Ehrensache, und es genügte beileibe nicht, dass die Schuhgröße mit der des Auftraggebers übereinstimmte, auch der Spann, der Ballen und die Ferse mussten so geformt sein wie beim späteren Benutzer. Oft liefen arme Schlucker, die sonst in Lumpen gekleidet waren, in dem neuen Schuhwerk herum, und man erkannte sie schon von Weitem an ihrem Gang, der dem eines stolzen Lords glich.

20

Ragnar Lundmark schickte Hermannis Hemden, Unterwäsche, Handtücher und seinen Morgenmantel an eine
Stickerin und bat sie, sämtliche Stücke mit zwei verschnör-
kelten H zu versehen. Die Stickereien sollten mit Seiden-
faden ausgeführt werden, jeweils in derselben Farbe, aber
einen Ton dunkler als das entsprechende Textil.

Eine Weile überlegte er, ob er für Hermanni auch Visiten-
karten drucken lassen sollte, aber was sollte darauf stehen,
der Mann hatte ja weder einen Titel noch eine Adresse.
»Hermanni Heiskari, obdach- und arbeitsloser Holzfäller
aus Lappland« wirkte als Text nicht gerade überzeugend.

Hermanni war nicht so hinterwäldlerisch, dass er keine
Krawatte binden konnte, er beherrschte sogar den doppel-
ten Knoten, aber als es an die Fliege ging, musste er passen.
Ragnar führte ihm die Hand, aber Hermanni begriff die
Idee trotzdem nicht ganz. So setzte sich Ragnar hin und
zeichnete Bilder der einzelnen Phasen, und mit ihrer Hilfe
konnte Hermanni endlich die erste Fliege seines Lebens
knüpfen. Als sie fertig war, war er in Schweiß gebadet.

Jeder finnische Gentleman beherrscht die Kniffe beim
Knüpfen einer Fliege, aber sollte sich unter die Leserschaft
tatsächlich irgendein Stümper oder gar ein ungeschlachter
Holzfäller verirrt haben, sei hier detailliert beschrieben,
wie die Fliege unter den geschickten Fingern des Mannes

entsteht. Zunächst werden die Enden der Rosette übereinandergelegt, vom Träger aus gesehen das linke über das rechte, als Nächstes wird der linke Zipfel um den rechten geschlungen, von unten nach oben, und noch ein zweites Mal, dann macht man eine kleine Schlaufe um das linke Ende, und zwar so, dass man die Spitze unter dem von links kommenden Knoten hindurchzieht. Nun wird das nach unten hängende rechte Ende zwei Mal gefaltet und mit dem gefalteten Ende unter den vorher gefertigten Knoten gesteckt. Zum Schluss zieht man nur noch leicht an, und fertig. Wie einfach!

In Ermangelung anderer Möglichkeiten meldete Ragnar seinen Schützling zu einem Anfängerkurs für Golf an, der private Trainer oder Pro war ein gewisser Jari Luusua, die Driving Range oder der Abschlagplatz und die dazugehörigen Bahnen befanden sich nördlich der Stadt in Saarenkylä.

Hermanni mokierte sich ein wenig über dieses Ballspiel, das er für einen bloßen Zeitvertreib von Müßiggängern aus der Oberklasse hielt. Ragnar Lundmark erklärte jedoch leicht indigniert, dass es sich keineswegs um ein Hobby der Oberschicht handelte, jedenfalls ursprünglich nicht. Golf war im schottischen Hochland erfunden worden, dort hatten die Schafhirten zum Zeitvertreib mit ihren Stöcken kleine Steine oder Zapfen durch die Luft geschleudert, und wem es gelang, seine »Bälle« in eine gemeinsam vereinbarte Kuhle zu schlagen, hatte die Runde gewonnen. Hirten haben bei ihrer Arbeit Zeit im Überfluss, und so entwickelten sie das Spiel rasch weiter, sie benutzten mehrere Löcher, ließen die Hirtenstäbe beiseite und schnitzten sich kürzere und wirksamere Schläger. Seither hat sich die Idee des Golfs über die ganze zivilisierte Welt verbreitet.

Heutzutage sind die Hirten arbeitslos, und das Spiel, das sie erfunden haben, spielen die Herren.

Der Pro Jari erklärte Hermanni die Anfangsgründe, sprach von den Schlägern und den Regeln des Spiels. Als der Holzfäller mit seiner ganzen Kraft den kleinen Ball hinter den Horizont zu schlagen versuchte, ohne nennenswertes Ergebnis, zeigte ihm der Trainer ganz geduldig, wie man die richtige Position einnahm und wie der richtige Griff oder Grip aussah, danach lehrte er ihn auch alle anderen Grundlagen. Ragnar, dessen Handicap 22 war, bekam schon am zweiten Tag Zweifel, ob Hermanni jemals wenigstens passabel spielen würde, aber als der fliegende Geselle schließlich begriff, um was es ging, nahmen die Bälle Fahrt auf. Am dritten Tag führte Jari seinen Schüler endlich von der Driving Range hinaus auf die Bahn und ließ ihn das eigentliche Spiel ausprobieren. Hermanni, der sich seiner eigenen Meinung nach die Schlagtechnik schon ganz gut angeeignet hatte, spielte das Par Drei mit dem Eisen Sieben direkt ins Green. Mit einem Putt war der Ball im Loch. Ragnar brauchte sechs Schläge, bevor er den Ball dort hatte.

Am Abend hatte Hermanni seinen Platzreifeausweis mit einem eingetragenen Handicap von 35. Kein schlechtes Ergebnis für den Abschluss des Anfängerkurses, bestätigte auch Ragnar.

Es war ein zeitaufwendiges Spiel, fand Hermanni. Er ärgerte sich, dass er Golf nicht früher für sich entdeckt hatte. Im Leben der Holzfäller gab es manchmal lange Leerzeiten, in denen sie die Langeweile plagte und sie nichts zu tun hatten. Hermanni konnte sich gut vorstellen, dass sich die Männer nach Ende der Flößperiode und vor Beginn des winterlichen Waldeinschlags die Zeit damit hätten vertreiben können, trockene, reife Kiefernzapfen oder runde, im Wasser abgeschliffene Steine von einem Maulwurfsloch ins andere zu schlagen. Mit der Methode, Tannenzapfen durch die Gegend zu schleudern, hatten ja die schottischen Hirten seinerzeit das Spiel begonnen.

Bei diesen Überlegungen fiel ihm ein, dass die finnischen Soldaten, die während des Krieges desertiert waren und sich in den Wäldern versteckt hatten, die sogenannten Tannenzapfengardisten, mehr Spaß gehabt hätten, wenn sie zwischendurch Tannenzapfengolf gespielt hätten. Daraus wiederum entwickelte sich der Gedanke, dass sie beide, Ragnar und er als die Initiatoren der Arbeitslosenrevolte, sich eigentlich darum kümmern müssten, wie und wo die Aufständischen untergebracht werden konnten, falls auch sie sich verstecken mussten. Klar war, dass im Falle einer Niederschlagung des Aufstands Tausende Arbeitslose in die Wälder gejagt würden wie Hunde, sofern sie sich nicht dem Kriegsgericht stellten.

Es war bereits August, als Ragnar Lundmark in der Informationsabteilung des Generalstabs anrief und sich erkundigte, wo sich das Denkmal der finnischen Tannenzapfengardisten befand und ob es überhaupt ein solches gab.

Im Generalstab reagierte man kühl auf die Anfrage, aber als Ragnar in seiner korrekten Art erklärte, dass er Oberst a. D. sei, zeigte man mehr Entgegenkommen. Gegen Abend bekam er ein Fax mit der verschwommenen Mitteilung, dass sich irgendwo in Nordfinnland, vermutlich in Kolari, die vom Herrn Oberst angesprochene Gedenkstätte der Deserteure befand.

Ragnar nahm Kontakt zur Gemeinde Kolari auf, und dort gab man ihm den Bescheid, dass am östlichen Rand der Ortschaft, am Venejärvi-See, ein paar Unterstände, die sich die Gardisten in die Erde gegraben hatten, bewahrt worden seien.

Die beiden Gefährten ließen den größten Teil ihres Gepäcks zur Aufbewahrung im Hotel zurück und fuhren mit leichter Ausrüstung abermals in den Norden. Sie beabsichtigten, in der Gegend um Kolari ein paar Ausflüge zu machen, den Venejärvi-See und andere Orte zu besuchen. Außerdem würde sich Hermanni bei der Gelegenheit seinen Pass abholen.

Sie reisten im Schlafwagen erster Klasse. Es war eine angenehme Nacht. Hermanni las in seinem Abteil die Biografie von Aladar Paasonen, geschrieben von dessen Tochter Aino. Oberst Paasonen war im Krieg Chef der Aufklärungsabteilung im Hauptquartier gewesen. Die geheime Aufklärung war ein wesentlicher Teil der Kriegsführung, fand Hermanni. Er dachte mit Genugtuung daran, dass im Nebenabteil ein anderer Oberst, Ragnar Lundmark, auf dem Laptop tippte, ein Mann, der jetzt in Friedenszeiten sein Butler war. Aber bei der Frage, wie lange Finnland in Frieden leben dürfte, hatten Lundmark und in jedem Falle er selbst, Hermanni Heiskari, ein Wörtchen mitzureden.

Ragnar Lundmark tippte an diesem Abend keine Änderungsvorschläge in Hermannis Aufstandsprojekt, sondern entwarf das Inhaltsverzeichnis für einen Picknickkorb, den sie auf ihrer Waldwanderung benötigen würden. Nach einer Stunde hatte er die Liste der erforderlichen Zutaten fertig, schloss den matt schimmernden Bildschirm und zog sich anschließend die Decke über die Ohren. Er murmelte ein unzusammenhängendes Abendgebet, in dem er sich, schon im Halbschlaf, wünschte, dass er mit Hermanni Heiskari, der hinter der Wand schlief, tatsächlich bis zum nächsten Sommer gemeinsam reisen dürfte. Er selbst war ein so armer Mann, dass für ihn auf eigene Kosten höchstens eine Fahrt von Tammisaari nach Inkoo infrage kam.

Geldlosigkeit war ein Zustand, der irgendwie zu Leuten passte, die von Geburt an arm waren, wie Hermanni Heiskari und seinesgleichen, Leuten also, die keine Erfahrung mit dem Leben im Reichtum hatten, aber für ehemals Reiche war Armut eine ungeheure Prüfung. Wenn ein Kind mit nur einer Hand zur Welt kam, dann vermochte es sein Los kaum zu beklagen, denn das Fehlen der Hand tat nicht weh, und das Kind hatte nie mit der Existenz zweier Hände Erfahrung gemacht, aber ganz anders war es, wenn ein zweihändiger gesunder Mensch im reifen Alter eine Hand einbüßte, dann hatte er Probleme. Er konnte sich partout nicht daran gewöhnen, mit der Linken zu schreiben, sofern ihm die Rechte abgenommen worden war, und wie sollte er noch Messer und Gabel benutzen!?

Der Zug ratterte über Parkano nach Norden, vorbei an Oulu und Kemi, und morgens erreichte er Kolari.

21

In Kolari nahmen sich die beiden Männer ein Taxi, kauften tüchtig ein und fuhren dann die dreißig Kilometer nach Venejärvi. Das Dorf lag am Ufer eines schönen Sees, an einem prachtvollen Hang, umgeben von der Weite der Ödmark. Wenn der Taxifahrer nicht dabei gewesen wäre, hätten sie kaum den Weg gefunden, der zu den Unterständen der Waldgardisten führte, denn die Dörfler hüllten sich darüber in Schweigen. Dem Taxifahrer, den sie kannten, verrieten sie, wie man zum »Leidensquartier«, wie die Unterstände genannt wurden, gelangte. Zwei Kilometer Landstraße waren zurückzulegen.

Ragnar hatte so reichlich Proviant eingekauft, dass sie den Taxifahrer als Träger gewinnen mussten. Er zog sich Gummistiefel an, schwang sich den Rucksack auf den Rücken, und gemeinsam stapften sie in den Wald. Am Straßenrand blieb der verschlossene Mercedes zurück, an seinem Armaturenbrett lief das Taxameter weiter und bescherte dem Fahrer einen tüchtigen Verdienst.

Nach mehreren Hundert Metern sahen sie vor sich ein Schild, eine große, rote, runde Blechplatte, die an einen vertrockneten Baum genagelt war und in schwarzen Lettern die Inschrift LEIDENSQUARTIER trug, ein dicker schwarzer Pfeil darunter zeigte die Richtung an. In einem nahen Sandhügel entdeckten sie eine zwei Meter lange und einen Meter breite versandete Grube. An einem Ende war eine mit Plexiglas geschützte Bildplatte angebracht, auf der zwei traurig aussehende Ödmarktannen zu sehen waren, zwischen ihnen stand ein kurzer Text, demzufolge einer der Waldgardisten »v. 1941-45, mehr als vier Jahre, eingesalzen in diesem Grab gelegen hatte«. Ob er an einer Krankheit oder an einem Unfall gestorben war, verriet die Inschrift nicht.

Der Pfad zu den Unterständen verlief über flache Landrücken. Zwischendurch ging man durch Kahlschlaggebiete, in denen sich der Pfad fast verlor, bis die Wanderer schließlich ans Ziel gelangten. Das Versteck war in einen flachen Sandhügel inmitten eines dichten Wäldchens gegraben worden, das an ein weites Reisermoor grenzte. Zwei, drei Unterstände waren erhalten, sie waren über flache Schützengräben verbunden. Vermutlich hatte es dort Schießscharten in die verschiedenen Richtungen gegeben. Als Feuerstelle hatte der blanke Erdboden gedient, und für den Rauchabzug gab es ein mit Steinen ausgekleidetes Loch in der Decke. In den Hang waren Vertiefungen gegraben und mit Balken abgestützt worden, darin hatten die Waldgardisten jahrelang wie die Füchse in ihren Höhlen gelegen. Die Unterstände waren so niedrig, dass man in ihnen fast kriechen musste. Bestenfalls einige wenige Männer hatten darin Platz gehabt, insgesamt waren es vermutlich nur zehn, höchstens zwanzig Deserteure gewesen, die hier draußen gehaust hatten. Das Quartier war in seiner kargen Dürftigkeit wirklich erschütternd.

Schweigend kehrten die Besucher nach draußen an die frische Luft zurück und setzten sich auf den versandeten Rand des Schützengrabens. Hermanni zündete sich eine Zigarette an und sog den Rauch tief in die Lungen. Dann sah er Ragnar bedeutsam an. Der bat den Taxifahrer, weiter draußen nach einer Stelle zu suchen, an der sie ein Lagerfeuer entzünden und einen Lunch einnehmen könnten. Der Mann machte sich mitsamt des Gepäcks auf den Weg, um auf dem Kahlschlag Reisig zu sammeln.

Hermanni und Ragnar unterhielten sich über die harten Bedingungen eines Ödmarkkrieges. Der Kampf der Arbeitslosen würde unvermeidlich dazu führen, dass sich die Aufständischen in den Wäldern verstecken müssten. Deshalb war es gut, dass sie hergekommen waren und sich den Ort angesehen hatten, an dem jahrelang Männer gehaust hatten, die gänzlich auf milde Gaben der Dorfbewohner und auf Wildbret aus dem Wald angewiesen gewesen waren. Sie selbst wollten es im Hinblick auf den geplanten Aufstand besser machen und ein Handbuch herausgeben, das Instruktionen für das Einrichten von Schutzräumen und befestigten Basen in den Wäldern und Sümpfen enthielt.

Es empfahl sich, den Volksaufstand im Januar zu beginnen. Zunächst würde man sich warmlaufen mit Demonstrationen, passivem Widerstand und Sabotage der verschiedensten Gesellschaftsfunktionen. Wenn dann der Aufstand im Frühjahr voll entbrannt wäre, würde der Staat versuchen, ihn mithilfe der Armee niederzuschlagen, und die Guerillakämpfer müssten in die Wälder flüchten, um sich dem Zugriff durch das Militär zu entziehen. Sofort nach der Schneeschmelze wären die besten Bedingungen gegeben, zur Waldtaktik überzugehen, die Kämpfer würden sich in den Schutz der Wälder zurückziehen, so wie einst während des großen Unfriedens die Flüchtlinge in ihre Verstecke, wie die Bauernfreischärler in den Ödwald oder wie im letzten Krieg die elenden Waldgardisten in unbewohnte Moorgebiete.

Um dafür gewappnet zu sein, war es günstig, bereits ein Jahr vorher die entsprechenden Flucht- und Stützpunkte auszuwählen und mit genügend Waffen, Werkzeug und vor allem Proviant zu bestücken. Bis zum Sommer sollte man damit fertig sein, nur so war man auf das Kommende besser vorbereitet, als es jene Deserteure von Venejärvi gewesen waren.

Hermanni und Ragnar schätzten, dass ihre Aufständischen weit mehr Sympathien in der übrigen Bevölkerung genießen würden als die Waldgardisten im letzten Krieg. Die Zivilbevölkerung würde sie freiwillig verpflegen und schützen, ähnlich wie sie es Anfang des Jahrhunderts mit den Jägern gemacht hatte, die sich auf geheimem Wege nach Deutschland durchgeschlagen hatten. Arbeitslose ließen sich kaum als Feinde des Volkes betrachten, und ihr Aufstand würde wahrscheinlich auf breites Verständnis stoßen.

Wie dem auch sei, Bürgerkriege waren von allen Kriegen die grausamsten. Beim geplanten Aufstand der Arbeitslosen handelte es sich um einen neuartigen Klassenkrieg, in dem die bisherigen politischen Ideologien ausgedient hätten. Die Zweiteilung des Volkes in Reiche und Gutsituierte einerseits und Arme und Benachteiligte andererseits war heute das Hauptproblem, das nach einer handfesten Lösung verlangte. Falls die Massenarbeitslosigkeit immer weiter anhalten würde, hätte das eine verheerende Wirkung auf die Lebenskraft und die Moral des Volkes. Hermanni erklärte, dass laut seinen Berechnungen allein wegen der Arbeitslosigkeit jährlich Tausende Menschen in Finnland starben. Der Klassenkrieg wurde schon jetzt geführt, jeden Tag, auch wenn kein Mensch von Verlusten oder Frontlinien sprach.

Ragnar Lundmark holte den Laptop aus dem Rucksack, öffnete ihn und stellte ihn auf den Rand des Schützengrabens. Er wählte das Tabellenkalkulationsprogramm und tippte Hermannis Gedanken und Äußerungen ein.

»In Finnland begehen jährlich tausendfünfhundert Menschen Selbstmord. Das sind siebenhundert arme Teufel mehr als zu normalen Zeiten, und gerade sie tun es wegen der Arbeitslosigkeit«, rechnete Hermanni vor, und Ragnar tippte »700 pro Jahr« ein.

»Am Schnaps starben früher zweihundert Finnen, heute aber laut Prognosen schon fast fünfhundert, und die meisten von ihnen sind Arbeitslose«, fuhr Hermanni fort, wobei er sich auf Angaben aus der Presse berief. Indirekt starben jährlich noch viel mehr Leute an den Folgen des Suffs, beispielsweise an Leberzirrhose, Herzerkrankungen, Schlägereien, Unfällen und dergleichen.

Psychiatriepatienten, die in ambulante Behandlung abgeschoben worden waren, Menschen, die aufgrund ihres Elends kriminell geworden waren und im Gefängnis und anschließend auf dem Friedhof landeten…, zum Beispiel gab es früher in Finnland jährlich hundert Fälle von Mord oder Totschlag, in Zeiten der Massenarbeitslosigkeit waren es hundertsiebzig Fälle! Und all die ausgebrannten Alleinerziehenden oder jene bedauernswerten Menschen, die unter der Last ihrer Arbeit den Verstand verloren hatten…, insgesamt eine geschätzte Zahl von fünftausend, die zu den oben genannten Verlusten hinzugerechnet werden mussten.

Berücksichtigt werden musste auch die Verringerung des Durchschnittsalters aufgrund von Krankheiten, von nicht ausreichender oder mangelhafter Ernährung oder direktem Hunger. Der zahlenmäßige Bevölkerungsschwund belief sich nach Ragnars und Hermannis vorsichtiger Schätzung auf jährlich zehntausend Personen.

Schließlich addierten sie auch noch die im Frust der Arbeitslosigkeit verbrachten Jahre und rechneten sie in Sterblichkeitszahlen um, dahingehend nämlich, dass sie mindestens siebzig Prozent jener Zeit als nicht gelebt betrachteten. Wenn sie das verbleibende durchschnittliche Alter auf fünfzehn veranschlagten, erhielten sie eine jährliche Sterblichkeitsziffer von vierzehntausend. So kam in Zeiten der Massenarbeitslosigkeit rein rechnerisch ein jährlicher Bevölkerungsschwund von knapp dreißigtausend zustande.

Das war natürlich beileibe noch nicht alles, was sich an negativen Auswirkungen der Arbeitslosigkeit nennen ließ, aber auf jeden Fall hatten sie so ein einigermaßen verlässliches Endergebnis erhalten. Sie konnten konstatieren, dass die Arbeitslosigkeit in verschiedenster Form jährlich zum Tod von dreißigtausend Menschen führte. Angesichts dessen, dass im ganzen Zweiten Weltkrieg hunderttausend Finnen gefallen waren, lautete das Fazit, dass der Winter- und auch der Fortsetzungskrieg ein Kinderspiel gewesen waren, verglichen mit dem heutigen Maß an Vernichtung durch die Arbeitslosigkeit. Und da sollten die Arbeitslosen keinen Grund haben, sich zu erheben? Wer das behauptete, missachtete aufs Grausamste all jene Bürger, die ins Abseits gedrängt worden waren. Ein Guerillakrieg, und selbst ein blutiger, hatte mit all seinen zu erwartenden Verlusten weit mehr Berechtigung als das Fortbestehen der jetzigen schrecklichen Situation.

Der Taxifahrer rief vom Rande des Kahlschlaggebietes herüber, dass das Lagerfeuer brannte und auch der Kaffee bald kochte. Ragnar schloss den Laptop, und die beiden

Männer verließen tief in Gedanken das *Leidensquartier.* Die Erkenntnis, dass jährlich dreißigtausend Finnen geopfert wurden, hatte sie sehr erschüttert. Ihre Stimmung hellte sich erst auf, als sie sich über den von Ragnar eingekauften Proviant hermachten.

Sie breiteten ein Tuch über einen Kiefernstubben und packten aus: geräucherter Lachs, gesalzene kleine und große Maränen, kalte Fleischbällchen vom Ren, warmgeräuchertes Rentierfleisch und gegrillter Schinken, Gänseleberpastete, Elchpaté, eingelegte Zwiebeln, Rote Bete in Essig, gekochte Eier, Zwiebel-Pilz-Salat, Roggenbrot, Knäcke und Baguette, Butter, Schmelzkäse, Rahmkäse und Brie sowie Apfelscheiben, Weintrauben und Pfirsiche. Außer Kaffee und Mineralwasser gab es auch ein paar Flaschen Chablis, die Ragnar vorsorglich am Abreisetag in Helsinki gekauft hatte.

Es blieb eine einfache Mahlzeit, denn sie hatten ja keine Soßen und keine warmen Speisen, aber Ragnar wies auf die außergewöhnlichen Bedingungen hin, unter denen man nun mal kein komplettes Büfett organisieren konnte.

Mit Fortschreiten des Picknicks lockerte sich die Stimmung, und so hielt Hermanni den Zeitpunkt für gekommen, wieder mal eine Geschichte vom Schmucken Jussi zu erzählen. Jussi hatte sich in der Endphase des Krieges am Frontabschnitt von Kiestinki verdrückt und in die Tannenzapfengarde irgendwo hinter Salla und Savukoski geflüchtet. Er hatte den Begriff von der Tannenzapfengarde wörtlich genommen. Im letzten Kriegsjahr hatte er zwölftausend Kilo Kiefernzapfen, zweiundzwanzigtausend Kilo Tannenzapfen und sogar tausend Kilo Birkenzapfen gesammelt, wobei gut zweihundert Kilo der Letzteren von

Krüppelbirken stammten. Dann, als der Krieg zu Ende war und sich die Waldgardisten wieder unter Menschen wagten, tauchte der Schmucke Jussi im nächsten Dorf auf und erkundigte sich, wer ihm zwei, drei Pferde und einen Schlitten leihen könnte. So holte er denn seine Beute aus dem Wald und verfrachtete sie mit dem Zug zur Sammelstelle der Forstverwaltung in Keuruu, von wo ihm alsbald eine hübsche Summe Geld überwiesen wurde.

22

Anfang August reisten die Männer nach London, denn Hermanni hatte inzwischen seinen Pass erhalten, und die Maßanzüge waren fertig. Sie waren anprobiert und bezahlt. Ragnar besorgte für Hermanni vierzig Schachteln grüner North State und packte ihrer beider Koffer.

Als sie sich in einem kleinen Hotel in einer Nebenstraße der Sloane Street einquartiert hatten, gingen sie zum Lunch aus und besuchten anschließend das Kriegsmuseum, um sich anzusehen, wie die Briten ihr eigenes Vorgehen im Zweiten Weltkrieg darstellten. Hinsichtlich der Guerillataktik war der Besuch nicht ergiebig, denn auf diesem Gebiet waren die Engländer nicht gerade fortschrittlich. Hermanni erinnerte sich, dass die Murmansker Legion der Briten Anfang des Jahrhunderts etliche geflüchtete finnische Rotgardisten in ihren Reihen aufgenommen hatte, weil sie ansonsten mit den Bedingungen dort oben im Norden nicht klargekommen wären. Am Ende zeigte sich, dass jene Intervention für den Verlauf der Geschichte keinerlei Bedeutung gehabt hatte.

Am nächsten Tag fuhren sie in die Provinz, nach Hampshire, wo sie in einem Dorf nahe New Alresford Station machten. Dort gab es ein kleines Hotel mit nur zwanzig Zimmern, das Ragnar aus seiner Jugendzeit kannte. In ebendiesem Hotel hatte er nämlich bald nach dem Krieg zu Beginn der

Fünfzigerjahre gewohnt, als sein Vater ihn zur Vervollstän-
digung seiner Sprachkenntnisse nach England geschickt
hatte. Das Gebäude war zweistöckig, verputzt und gelb
angestrichen. Es lag fast gänzlich hinter großen Ahorn-
bäumen versteckt. Beiderseits des Haupteingangs gab es
hohe Säulen, und eine breite Treppe führte auf einen Kies-
weg hinunter. Hinter dem Haus befand sich ein Garten mit
einem künstlichen Teich und einem Springbrunnen. Im
Teich paddelten fünf Enten.

Man hielt auf Traditionen, und obwohl das Hotel bereits
ein wenig heruntergekommen war, hatte es doch einen
gewissen Stil. Hermanni fand Gefallen an dem Ort, zumal
er seine Sprachstudien in unmittelbarer Nachbarschaft
betreiben konnte, in einer privaten Sprachschule, in der
auch Ragnar in den Fünfzigerjahren Schüler gewesen war.
Es handelte sich um ein Einfamilienhaus, das ein wenig
größer als üblich war, es war im vorigen Jahrhundert vermutlich ursprünglich als Villa erbaut worden. Auch dieses
Haus hatte einen Garten, und es war in der gleichen Farbe
gestrichen wie das Hotel, in dem die Schüler der Sprachschule wohnten. Es waren Geschäftsleute aus verschiedenen Ländern, auch zwei französische Pfarrer und ein
russischer General waren darunter. Letzterer war der Typ
des vierschrötigen stalinistischen Offiziers, den man sich
gut dabei vorstellen konnte, wie er in einer südrussischen
Garnisonsstadt die Parade abnahm. Er erzählte, dass er
im Zusammenhang mit dem Tschetschenienkrieg seine
Militärlaufbahn aufgegeben hatte und nun beabsichtigte,
in Westeuropa Geschäfte zu machen. Anzubieten hatte er
Panzerwagen und Wattejacken. Auch U-Boote konnte er
zu günstigen Preisen aus Sewastopol, Wladiwostok oder
Murmansk besorgen, ganz wie der Käufer es wünschte.

Kernwaffen verkaufte er nicht, denn solche Aktivitäten hielt er für unmoralisch. Der General sprach überraschend offen über seine Vorhaben. Hermanni und Ragnar vermuteten, dass er ein Spion oder einfach nur ein Schwindler war.

Gänzlich unbeleckt ging Hermanni nicht in den Englischunterricht. Er hatte nicht nur einst ein Fernstudium absolviert und an der christlichen Volksbildungsanstalt von Nivala an entsprechenden praktischen Übungen teilgenommen, sondern er hatte auch hin und wieder in den *Take-It-Easy*-Büchern geblättert. Trotzdem war er sehr aufgeregt, als er zusammen mit Ragnar die Sprachschule betrat, wo er als finnischer Künstler und Holzfachmann vorgestellt wurde, der seine eingerosteten Sprachkenntnisse ein wenig auffrischen wollte.

Im Haus wohnte eine ganz normale Familie. Vater und Mutter in mittleren Jahren, zwei schulpflichtige Kinder sowie die Großeltern, die Ragnar noch aus früheren Zeiten kannte. Dann gab es noch zwei Lehrer, eine Frau und einen Mann. Eigentliche Lektionen wurden nicht abgehalten, der Unterricht erfolgte durch Gespräche. Es wurde ausschließlich Englisch gesprochen, und anfangs verstand Hermanni nicht viel von den Unterhaltungen. Mit dem Frühstück ging es los. Lehrer und Schüler bedienten abwechselnd. Das Essen wurde im Speisesaal serviert, an sonnigen Tagen konnte es auch auf der zum Garten hin gelegenen Terrasse eingenommen werden. Der Lunch wurde im Haus verzehrt, und dabei wurde über das Essen und das Wetter gesprochen, worüber auch sonst. Auch beim Abendessen war man noch beisammen und übte sich weiter in der Sprache. Zwischen den Mahlzeiten wurden die Schüler, es waren nur zehn, in zwei, drei Gruppen eingeteilt und gingen dann zum Picknick in den nahen Park oder sogar zum Sonnenbaden an die Kanalküste. Einmal machten alle zusammen eine Exkursion und fuhren durch den Tunnel nach Calais auf französischer Seite. Dort wurde dem russischen General seine kleine Taschenkamera gestohlen, mit der er die ganze Zeit eifrig geknipst hatte. Besonders bekümmerte ihn, dass der Film weg war. Also kaufte er eine neue Kamera samt Film, und die ganze Gesellschaft musste sich mehrmals zu neuen Fotos aufstellen. Auf jeden Fall diente es der Wortschatzerweiterung im Bereich Fotografie.

Zwei Wochen lang paukte Hermanni Englisch aus Leibeskräften und glaubte schon nicht mehr daran, dass er die Sprache so lernen würde wie die anderen Teilnehmer, aber dann geschah ein Wunder. Eines Morgens begann er ganz fließend zu reden. Er servierte seinen Mitschülern Rührei und Schinken und stellte auf Englisch mit seinen eigenen Worten Betrachtungen über das aktuelle Wetter an, ob es an diesem Tag Regen geben würde oder worauf der windige Morgen wohl sonst schließen ließe.

Hermanni Heiskari hatte Englisch gelernt! Der Wortschatz war noch bescheiden, aber der Schüler besaß jetzt den nötigen Eifer, ihn zu erweitern. Hermanni schrieb jeden Tag eine lange Liste englischer Wörter und Redensarten sowie die Konjugation der unregelmäßigen Verben in sein Notizbuch. Er machte rasche Fortschritte, und nach einem Monat sprach er schon einigermaßen fließend. Er sprach die Worte mit ausländischem Akzent aus, aber Ragnar fand das unerheblich. Die Hauptsache war, dass Hermanni nicht Cockney, den Slang der Arbeiter und Straßenjungen, sondern richtiges, echtes Herrschaftsenglisch sprach.

Nach dem Abendessen wurden im Allgemeinen keine Sprachstudien mehr betrieben. Diese Freizeit verbrachte Ragnar Lundmark damit, Hermanni die Gesellschaftstänze beizubringen. Zunächst versuchte Hermanni sich dem zu entziehen, er behauptete, dass er den Tango so weit beherrsche, wie es für die Bedürfnisse eines gewöhnlichen Holzfällers nötig sei, aber Ragnar ließ keine Ausflüchte gelten. Er hatte Lena Lundmark versprochen, dass sich Hermanni vor Ablauf eines Jahres zum perfekten Gentleman gemausert hätte.

Sie vereinbarten, dass Ragnar, außer als Lehrer, auch als Dame fungierte und dass Hermanni führte, allerdings nach den Anweisungen des zu Führenden. Ragnar hatte einen CD-Player und ein paar Scheiben mit Tanzmusik gekauft, den Kurs veranstalteten sie in seinem Zimmer. Sie rollten den Teppich auf und schoben ihn an die Wand, Ragnar legte den Tango *La Cumparsita* auf und knickste vor Hermanni, der leicht geniert mit ihm über das Parkett des Hotelzimmers stampfte. Sie vollführten ein paar Schritte und Drehungen, bei denen Hermanni versuchte, seinen Butler im Rhythmus der betörenden Tangoklänge herumzuschwenken. Doch dieser machte das nicht lange mit. Er schaltete die Musik aus und sagte trocken, dass er noch nie so grässlich bei einem Tango herumgeschlurft sei. Es gebe gute Gründe, dass Hermanni richtig tanzen lernte.

Sie begannen mit dem Walzer.

Ragnar zeigte seinem Schützling, wie er sich seiner Dame – in diesem Falle also Oberst Lundmark – höflich nähern, drei Schritte vor ihr verharren, ihr in die Augen sehen, sich leicht verbeugen und sie so zum Tanz auffordern sollte. Anschließend wurde die sogenannte geschlossene Tanzposition eingenommen. Dabei musste Hermanni über die rechte Schulter des Oberst blicken, sein linker Arm sollte erhoben, der Ellenbogen angewinkelt und die Hand ungefähr auf Höhe der Augen sein. Die rechte Hand wiederum sollte unter dem linken Schulterblatt der Dame, also Ragnars, ruhen. Körperkontakt, äh, in der Zwerchfellgegend. Hermannis Füße sollten vor Beginn des Tanzes nebeneinanderstehen, mit dem Gewicht entweder auf dem linken oder dem rechten Fuß, abhängig davon, wie er drehen würde.

Dann folgte die schweißtreibende Phase. Hermanni musste im Walzertakt zählen: »Eins, zwei, drei ...«, und im selben Takt je einen Schritt mit dem rechten Fuß nach vorn und mit dem linken zur Seite machen, dann schloss der rechte zum linken auf, der linke wurde rückwärts gesetzt, der rechte diagonal nach hinten, links schloss zu rechts auf ..., verflixt ..., rechts rückwärts, links seit, rechts schloss zu links auf, anschließend links vor, rechts seit und zum Schluss schloss noch links zu rechts auf. Das war erst mal nur eine Vierteldrehung, die die beiden eine ganze geschlagene Stunde lang übten, und an den folgenden Abenden ging es mit der Rechts- und der Linksdrehung weiter. Nach einer Woche Training folgten noch der rechte und der linke Wechselschritt. Hermanni Heiskari sagte sich, dass auch das Leben der Herren keineswegs immer leicht war.

Als der Oberst endlich mit den Walzerkünsten des Holzfällers zufrieden war, ging er zu den schwierigeren Paartänzen über. Sie begannen ernsthaft Tango zu trainieren. Hermanni war einst in jungen Jahren über die Dielen der Tanzbühnen geschlurft in dem Glauben, dass er Tango tanzte, aber erst jetzt begriff er, dass Tango nicht bedeutete, mit der Partnerin über das Parkett zu schleichen, die eigene schweißige Wange an ihre gedrückt, um in dunklen

Ecken verstohlen zu versuchen, ihren Körper an sich zu pressen. Die Seitwärtsschritte des Tangos, die Drehungen und hauptsächlich der Wiegeschritt waren überraschend schwer zu lernen. Und erst die Promenade, geschlossen und geöffnet!

Im Laufe der Zeit brachte Ragnar seinem Schützling noch Cha-Cha-Cha, schließlich auch die temperamentvollen Tänze Samba und Rumba und zuletzt Quickstep bei. Darin war Hermanni ein Naturtalent. Der Tanz erinnerte ihn an das Abästen von Stämmen im vereisten Gelände, bei strengem Frost und im Akkord.

Ragnar Lundmark war als Lehrer unermüdlich, und Hermanni hatte oft das Gefühl, dass der Oberst die Tanzstunden sehr genoss, fast als wäre er die geborene Dame.

Es war ein anstrengender Herbst für Hermanni. Die Sprachstudien und die ewigen Tanzstunden zehrten an seinen Kräften. Kein Wunder, dass ihn manchmal das Bedürfnis überkam, die ganze Vornehmheit zu vergessen und sich unters Volk zu mischen, ein paar Bier zu trinken und mit besoffenen Engländern Blödsinn zu quatschen. Einmal, als Hermanni spätabends aus dem dörflichen Pub ins Hotel zurückkehrte, fiel ihm auf, dass auf der zweiten Etage, wo sie beide wohnten, neben Ragnar Lundmarks Tür zwei Paar Schuhe standen, die zum Putzen herausgestellt worden waren. Hermanni, ein wenig beduselt, dachte sich, aha, der Oberst hat eine Frau mit aufs Zimmer genommen, aber als er näher kam, sah er, dass dem nicht so war. Neben Ragnar Lundmarks Tür standen zwei Paar Herrenschuhe. Es dauerte eine Weile, ehe Hermanni begriff, was das bedeutete. Diskret und ohne Lärm zu verursachen schlich er in sein Zimmer und sagte sich, dass das Privatsache war und ihn nichts anging.

Als Hermanni am nächsten Tag aus der Sprachschule kam und zum Tanzunterricht antrat, erwartete er fast, dass Ragnar, der sehr ernst wirkte, über seine homosexuellen Neigungen sprechen würde, aber keineswegs. Den Butler beschäftigte sein Schicksal, das ihn erwartete, falls Hermannis Aufstandsplan wirklich realisiert würde. Ragnar vermutete, dass man ihn, falls der Aufstand niedergeschlagen würde, gefangen nehmen würde, hatte er doch einen großen Anteil an der Vorbereitung gehabt.

»Ich denke, dass mich ein hartes Schicksal erwartet. Zunächst verurteilt man mich natürlich vor dem Kriegsgericht zum Tode, aber weil ich immerhin Oberst bin, wird man mich vermutlich nicht auf der Stelle erschießen, sondern mir die Möglichkeit einräumen, vor dem Obersten Kriegsgericht Berufung gegen das Urteil einzulegen.«

Die Wartezeit würde er, so nahm er an, im Gefängnis von Katajanokka verbringen, und dann, vielleicht ein halbes Jahr später, würde man ihn in Santahamina erschießen und ihn ohne militärische Ehren in einer Sandkuhle begraben, zusammen mit vielen anderen Aufständischen.

Hermanni gab zu, dass es eventuell so kommen könnte, aber möglicherweise würde man Ragnar nicht durch Erschießen, sondern durch Erhängen hinrichten. Ragnar malte sich nun seinerseits Hermannis Schicksal aus.

»Du wirst auf jeden Fall vor dem Erhängen und Erschießen geteert und mittels wilder Pferde geviertelt, denke ich mir.«

Eines Abends brachte der russische General mal wieder seine Geschäfte zur Sprache. Er behauptete, über die Waffenkäufe der finnischen Armee im Bilde zu sein, und äußerte die Vermutung, dass Finnland, da es zumindest in absehbarer Zeit wohl nicht der NATO beitreten würde, garantiert zusätzliche Waffen benötigte. Nach seinen Worten waren in Russland größere Unruhen zu erwarten, die schon an sich eine erhebliche Gefahr für Finnlands Ostgrenze bedeuten würden. Er, der General, könnte als Vermittler auftreten, wenn Finnland seine Depots auffüllen würde. Die Preise waren günstig. Ein ganzes russisches Armeekorps war entwaffnet und aus dem Kaukasus heimgeschickt worden. Aus diesen Beständen ließe sich ohne Weiteres eine finnische Jägerbrigade oder auch zwei komplett ausstatten. Bei Bedarf könnte er auch der finnischen Marine U-Boote besorgen, denn die schwammen in den russischen Kriegshäfen massenweise herum. Der General ging davon aus, dass Ragnar Lundmark als Oberst über Beziehungen zum finnischen Generalstab und zum Verteidigungsministerium verfügte. Die Lieferungen wiederum hielt er für unproblematisch. Sowie man sich über die Preise geeinigt hätte, würden die Waggons mit den Waffen über die Grenze und zu den finnischen Depots auf den Weg gebracht.

Ragnar Lundmark sagte darauf, dass er nicht mehr im aktiven Dienst war und keine offiziellen Kontakte zu den finnischen Militärs unterhielt. Auch Hermanni Heiskari erklärte, mit Waffenhandel rein gar nichts zu tun zu haben. Falls in Finnland je Waffen gebraucht würden, dann jedenfalls nicht gegen einen äußeren Feind.

Nun äußerte der General die Vermutung, dass es in Finnland zu aufrührerischen Aktivitäten kommen könnte. Er war darüber informiert, dass das Land in der tiefsten Krise des Jahrhunderts steckte, und so etwas blieb im Allgemeinen nicht ohne ernste Folgen. Seiner Meinung nach war eine revolutionsträchtige Situation entstanden, und auch im Hinblick darauf könnte er jede Menge russischer

Waffen und Munition liefern. Die Waffen könnten an der Westgrenze Russlands gelagert werden, sodass man sofort bei Ausbruch des Bürgerkrieges darauf Zugriff hätte.

Hermanni und Ragnar taten diese Gedanken leichthin ab. Ein Aufstand in Finnland, na so was! Die Finnen erhoben sich im Allgemeinen nicht gegen die Obrigkeit. Hier lag nicht das Problem. Außerdem schwächte sich die Krise bereits leicht ab. Auf diese Weise wurden sie den eifrigen Händlergeneral los.

Im Hotelzimmer stellten Hermanni und Ragnar trotzdem Überlegungen an, ob sie beim General vielleicht ein paar Waggons mit Infanteriewaffen bestellen sollten. Er bot Kalaschnikows zum Stückpreis von nur wenigen Pfund an, vorausgesetzt, man erwarb mindestens zehntausend Exemplare dieses Sturmgewehrs. Die russische AK-47 war eine präzise und gut funktionierende Waffe. Sie hatte einen verchromten Lauf, und die beweglichen Teile waren ausgeklügelt bis ins kleinste Detail.

Vielleicht wäre es auch gar nicht so dumm, sich einen eigenen Panzer oder ein Kanonenboot anzuschaffen? Sie beschlossen, die Sache zu überdenken und das Angebot auch Lena Lundmark vorzulegen, aber dann erschien der General eines Tages nicht mehr zu den Sprachübungen. Er war verschwunden. Die anderen mutmaßten, dass er nach Russland zurückgekehrt war. Hermanni und Ragnar befürchteten, dass man noch von ihm hören würde.

In dieser Stimmung tanzten sie mit ernster Miene eine Rumba.

23

Mitte Oktober schickte »Oberst« und Butler Ragnar Lundmark seiner Nichte Lena einen langen Brief aus Dublin. Aus Gründen der Geheimhaltung konnte er für die Übermittlung kein Fax benutzen, denn in seinem Rapport ging es auch um die geplante Revolte, und so gab er den versiegelten Umschlag persönlich in der finnischen Botschaft in Irland ab und vereinbarte dort, dass der Brief mit der Kurierpost nach Helsinki geschickt werden sollte, wo ihn die Empfängerin gegen Quittung abholen würde. Hier der Inhalt des Briefes:

»Dublin, 11. Oktober

Liebe Lena,

dein Herr Heiskari und ich sind jetzt in Irland. Hierherzukommen war wirklich nicht meine Idee, das kannst du mir glauben. Wieder ist dies und das passiert, Gutes wie auch Schlechtes. Ich beginne mit den positiven Nachrichten.

Wie ich bereits in meinem letzten Fax berichtete, haben wir den Herbst in Hampshire verbracht. Hermanni Heiskari hat gewissenhaft sowohl Englisch als auch die Gesellschaftstänze geübt und in beiden Fächern befriedigende Fähigkeiten erlangt, im Quickstepp sogar gute, würde ich sagen.

In der Zeit, da Hermanni Englischunterricht hatte, habe ich weiter an den Plänen für die Revolte gefeilt. Mit der

Zeit habe ich mich mehr und mehr für den Gedanken eines Volksaufstandes erwärmt, der mir immer vernünftiger erscheint. Wenn die Arbeitslosigkeit in diesem Ausmaß noch lange andauert, gebiert sie einen passiven Bodensatz, der das ganze Volk von innen her faulen lässt.

Ich habe ein fast hundert Seiten umfassendes Handbuch über Feldbefestigung verfasst, in dem ich detailliert und anhand von Zeichnungen erkläre, wie Unterstände gegraben und wie in Sümpfen und Einödgebieten Wachposten aufgestellt werden. Bei dieser Arbeit habe ich finnische militärtaktische Studien genutzt, die ich mir aus der Bibliothek der Militärhochschule habe kommen lassen. Ich beabsichtige, in Erweiterung von Hermannis Plänen noch mehr solcher Handbücher zu schreiben, die zu gegebener Zeit als Broschüren gedruckt, in riesigen Billigauflagen herausgegeben und vor dem Aufstand den Zellen der Arbeitslosen per Post als Schulungsmaterial zugeschickt werden können. Gebraucht werden nach meiner Auffassung mindestens ein Handbuch für den Stadtkrieg sowie weitere für die Informationstechnologie, die Kriegsökonomie und die Guerillataktik. Hermanni und ich sind uns darin einig, dass wir bei der Führung des Volksaufstandes außer den herkömmlichen Medien auch neue Informationskanäle nutzen müssen, wie etwa das Internet und Satellitenübertragungen. Die kann der Gegner nicht so schnell zum Schweigen bringen wie beispielsweise die Presse. Illegale Datenübermittlung ist dank der neuen Technik billiger als je zuvor, und sie lässt sich nicht wirksam überwachen geschweige denn zensieren.

Hermanni und ich haben abgemacht, dass wir die eben erwähnten Handbücher im Laufe dieses Herbstes und Winters verfassen, und falls wir die Finanzierung sichern

können, lassen wir sie drucken und bei passender Gelegenheit an sämtliche Arbeitslose in Finnland verschicken.
Die Adressen können wir beim Arbeitsamt kaufen, und
der Inhalt der Postsendung braucht ja vorab keiner Behörde
vorgelegt zu werden. So können wir also sowohl die Mobilmachung als auch die militärische Schulung der künftigen
Guerilla-Armee ganz einfach realisieren, indem wir die
existierenden Kanäle für Direktwerbung nutzen. Wenn zu
Beginn der menschlichen Zivilisation die Kriegstruppen
durch eine von Dorf zu Dorf weitergereichte Botschafts-
stafette oder durch Rauchzeichen von Hügel zu Hügel
rekrutiert wurden, so braucht man heutzutage nur einen
entsprechend hohen Werbeetat, um Hunderttausende
potenzieller Aufständischer zu erreichen und die Revolte
in Gang zu setzen.

Das war es dann auch schon mit den guten Nachrichten.
Leider muss ich berichten, dass Hermanni Heiskari vorige
Woche anfing zu trinken und seither eine Menge kleiner
und vor allem großer Schwierigkeiten verursachte. Alles
begann damit, dass ich nach Abschluss des Tanzkurses
unseren werten Holzfäller in die Welt der kultivierten
Gesellschaftsspiele einführen wollte. Meine Absicht war,
ihm Bridge beizubringen, aber was soll ich dir sagen, auf
die ihm eigene hinterlistige Art konnte er mich dazu
verleiten, anstelle von Bridge irgendeine volkstümliche
Abart von Poker mit ihm zu spielen. Du kennst meine alte
Schwäche für Rouletttische und Spielhöllen, also wird
es dich nicht verwundern, dass ich der Verlockung erlag.
Hermanni spielte zunächst mit kleinen Einsätzen und
ließ mich gewinnen, und als er mich erst mal unter seiner
Fuchtel hatte, nahm er mich Abend für Abend aus. Ich
muss beschämt eingestehen, dass die ganze Reisekasse an

ihn überging. All das Geld, das du uns edelmütig geschenkt hast, nutzte er jedoch nicht für seine eigene Weiterentwicklung, sondern, wie ich vorhin erzählte, einfach zum Saufen. Ich erspare dir die Einzelheiten, die deinem Auserwählten nicht zur Ehre gereichen. Wie auch immer, Hermanni Heiskari erklärte, dass er von Sprachstudien und Tanzkursen genug habe und dass ihm überhaupt das aus seiner Sicht oberflächliche ›geckenhafte Getue‹ zum Hals heraushänge. Er zwang mich, mit ihm hierher nach Dublin zu reisen, wo es angeblich das beste Bier der Welt gibt, und das hat er in letzter Zeit tatsächlich in unglaublichen Mengen geschluckt, dabei ging er sogar so weit, mich zu zwingen, mit ihm in diesen zweifelhaften Pubs zu speisen und dazu ebenfalls Bier zu trinken, das ich wahrlich nicht besonders schätze. Aber da ich all mein Geld an ihn verloren habe, konnte ich mich diesem primitiven Lebensstil, der weiter anhält, nicht widersetzen. Es ist sogar vorgekommen, dass sein Smoking über und über mit Lehm beschmiert war, wenn er ins Hotel heimkehrte. Die Leute in der Wäscherei wunderten sich, wie Kleidungsstücke in einen derartigen Zustand geraten können, und sie vermuteten, dass der Träger vielleicht an einem Schlammringkampf teilgenommen hat.

Bei meinen Versuchen, Hermanni Heiskari zur Vernunft zu bringen und zum Verlassen Irlands zu bewegen, erinnerte ich ihn schließlich an seine Aufstandspläne. Darauf sagte er nur, dass es im Krieg nicht auf einen einzelnen Mann ankommt. Du kannst mir glauben, dass ich sehr bestürzt war.

Hier in Irland sind wir laut Hermanni nicht nur, um Bier zu trinken, sondern auch um Erfahrungen im Stadtkrieg zu sammeln. Unlängst nämlich grunzte er, dass er beabsichtigt, nach Belfast zu fliegen, um dort Terrorismus und Straßenkämpfe und alles, was es auf diesem Gebiet sonst noch gibt, zu studieren. Als ich von diesem Vorhaben hörte, beschloss ich, dich umgehend zu benachrichtigen und dafür zu sorgen, dass dir dieser Brief mit der Kurierpost des Außenministeriums zugestellt wird. Nun warte ich bangen Herzens auf deine Stellungnahme und hoffe zugleich, dass du mir ein wenig Geld schickst, denn ich bin momentan völlig mittellos.«

Ragnar verbrachte drei Tage in Anspannung und Ungewissheit, und schließlich spie sein Laptop ein galliges Telefax aus, in dem Lena Lundmark ihre barschen Anweisungen gab:

»Grüß dich, werter Onkel. Vielleicht übertreibst du deine Schwierigkeiten, die aus deiner alten Spielleidenschaft herrühren. Auf jeden Fall muss Schluss sein mit dem ausschweifenden Leben, dergleichen gedenke ich nicht zu finanzieren – das musst du dir selbst und auch Hermanni klarmachen. Sag ihm, dass du ins örtliche Polizeirevier marschieren, ihn wegen Glücksspiels anzeigen und später vor Gericht gegen ihn aussagen willst, falls er nicht sofort mit dem Blödsinn Schluss macht und sich wieder wie ein Gentleman benimmt.

Andererseits verstehe ich, dass ein fliegender Holzfäller, der ein freies Leben gewöhnt war, irgendwann genug davon hat, kleinliche Benimmregeln zu lernen, besonders, wenn dazu auch Paartanz mit einem alten Homo deines Schlages gehört. Entschuldige, aber so ist es nun mal. Außerdem, teurer Freund, hast du bei deiner Schimpfkanonade gegen Hermanni das Wichtigste vergessen. Er hat mir das Leben gerettet. Er ist ein Lebensretter, und du musst verstehen, dass mein Leben immerhin um einiges kostbarer ist als ein paar irische Bier. Wie auch immer, ihr seid alle beide nicht unschuldig, und ich überlege schon die ganze Zeit, wie ich euch zur Räson bringen kann. Ich muss euch irgendwie bestrafen. Zunächst aber schicke ich wieder mal etwas Geld und wünsche euch ein nüchternes und ruhiges Leben. Deine Nichte Lena.«

24

Als Hermanni Heiskaris Kopf endlich klar wurde, begriff er, dass die Lage ernst war. Die Erkenntnis kostete ihn Zeit und auch Überwindung. Er musste mit dem Saufen aufhören, wenn er weiter auf Kosten seiner reichen Braut durch die Welt reisen wollte. Also gab er seinem Butler das Geld zurück, das noch übrig war, und versprach, künftig überlegter zu handeln. Ragnar Lundmark wünschte sogar, dass er eine demütige Bitte um Verzeihung an Lena nach Maarianhamina faxte. Aber das ließ Hermannis Stolz nicht zu. Stattdessen schickte er ihr die Botschaft, dass er beabsichtige, in die Südsee zu fliegen, falls das genehm wäre. Bald kam ein Fax mit der Erlaubnis zur Reise, allerdings unter der Bedingung, dass die beiden Herren via Helsinki und Tokio ans andere Ende der Welt fliegen sollten. Beim Zwischenstopp in Helsinki wünschte Lena sie dringend zu treffen.

Sowohl Hermanni als auch Ragnar ahnten und fürchteten, dass strenge disziplinarische Maßnahmen auf sie warteten. Und tatsächlich bekamen sie ihr Fett weg. Allerdings war inzwischen noch Schlimmeres passiert, als sich das Trio Ende Oktober auf dem Flughafen Seutula traf. Lena hatte im neuen Teil des Terminals einen kleinen Salon gemietet, in dem die beiden Streuner erst mal in allen Einzelheiten über ihre Reise berichten mussten, und danach erzählte Lena vom aktuellen Stand ihrer Geschäfte.

»Die Krise und der verzerrte Wettbewerb setzen der Reedereibranche hart zu. Die Konkurrenten versuchen mich mit vereinten Kräften in den Konkurs zu treiben. Deshalb stehe ich im Begriff, die Aktien meiner Reederei zu veräußern, ehe ihr Wert in den Keller fällt. Es kann sein, dass ich meine Betätigung als Reederin gänzlich einstellen muss. Euer Krieg sollte möglichst bald ausbrechen«, sagte Lena in ernstem Ton.

Auf diese schlechte Nachricht fiel den zwei Habenichtsen kein Kommentar ein.

»Ich versuche jedoch die Aktienmehrheit der Spedition zu halten«, fuhr Lena fort. Dadurch lockerte sich die Stimmung ein wenig, sodass Ragnar die überarbeiteten Aufstandspläne in ihrer jetzigen Form vorstellen konnte. Lena billigte das Handbuch für den Bau von Schutzräumen, das er verfasst hatte, und versprach, alsbald eine geheime Auflage von fünfzigtausend Stück drucken zu lassen. Anschließend aßen sie gemeinsam im Salon zu Abend und fuhren zur Nacht ins nahe Flughafenhotel. Ragnar schlief in einem Zimmer, Lena und Hermanni im anderen. Am Morgen nahm Lena am Terminal für die Inlandsflüge die Maschine nach Maarianhamina, Ragnar und Hermanni bestiegen vor dem internationalen Terminal eine alte DC 10 der Finnair, deren Ziel Tokio war. Unterwegs sprachen sie kaum miteinander, sondern schliefen hauptsächlich. Ragnar war immer noch sauer auf Hermanni wegen seiner Exzesse in Dublin. Und auch Hermanni war nicht gerade erpicht darauf, mit dem alten neunmalklugen Homo Frieden zu schließen, der außerdem einen strengen Parfümgeruch verströmte.

In Tokio gerieten sie in den gewaltigen Stau zwischen dem Flughafen Narita und dem Hotel- und Geschäftszentrum Sinjuku. Sie blieben nur einen Tag in der Stadt und besuchten das kaiserliche Kriegsmuseum. Besonders interessierten sie sich für die Säuberungsaktionen, die die Japaner im Zweiten Weltkrieg gegen die Partisanen in China, Südostasien und auf den Inseln im Stillen Ozean durchgeführt hatten. Auch ihre Kämpfe gegen die Russen, als diese in der Endphase des Krieges die Kurileninseln besetzten, interessierten Hermanni und Ragnar, Letzterer machte sich mit Blick auf eventuellen Bedarf Notizen über die Kriegsführung der Japaner.

Weiter ging die Reise nach Neuseeland. Der Flug dorthin dauerte elf Stunden. Auf dieser Etappe besserte sich das Verhältnis zwischen den beiden und erreichte fast wieder den früheren Stand. Vielleicht trug auch die Tatsache mit dazu bei, dass Ragnar in Tokio ein neues japanisch-französisches Parfüm gekauft hatte, das Hermannis Riechorgan nicht so strapazierte wie das vorige. Der neue Duft hieß *Tanzender Samurai*, Ragnar zeigte das eckige kleine Fläschchen. Auf dem Etikett war ein stattlicher Japaner im uralten Kampfgewand und mit Schwert abgebildet, der mit einer im Stil der Dreißigerjahre gekleideten mageren Französin Tango tanzte.

Hermanni stellte Betrachtungen darüber an, wie es Europa und Finnland ergangen wäre, wenn die Achsenmächte den Krieg gewonnen hätten. In London würde Deutsch, Italienisch und Japanisch gesprochen, und in Helsinki gäbe es eine japanischsprachige Universität. Die Füße der Pariser Huren wären verbunden wie die der Geishas, und in Moskau hätte man Stalin und Molotow vorgeschlagen, Harakiri zu begehen.

Nach Ragnars Meinung hätte eine Niederlage der Alliierten zu einem Krieg zwischen Deutschland und Japan und einer Neuaufteilung der ganzen Welt geführt. Die USA wären durch Atomwaffen zerstört worden, das Gleiche wäre mit Europa geschehen. Die gesamte Menschheit wäre japanisiert worden.

»Statthalter auf den Ålandinseln wäre heute ein japanischer Admiral, und sämtliche Schiffe der dortigen Reeder würden unter japanischer Flagge segeln.«

Hermanni bestätigte, dass die Welt einer totalen Vernichtung nie so nahe gewesen war wie gegen Ende des Zweiten Weltkriegs. Es war nur eine Frage der Zeit, wann Deutschland oder Japan Atomwaffen eingesetzt hätten, ein wahnwitziger Wettlauf hin zum Untergang, den die USA mit zwei Bombenlängen gewonnen hatten.

Ragnar fand, dass die Zerstörung von Nagasaki und Hiroshima somit eine großartige Friedensaktion gewesen war, ungeachtet dessen, dass dabei Hunderttausende unschuldiger Menschen getötet worden waren.

Hermanni fand diese Denkweise zynisch, allerdings musste auch er zugeben, dass man unter Kriegsbedingungen den Frieden nicht durch Verhandlungen erreichte, sondern nur durch den Einsatz roher Gewalt. Krieg war kein diplomatisches Spiel, sondern bedeutete gnadenloses Töten. Diese Tatsache erkannte man erst nach Ende eines Krieges, nicht vor seinem Ausbruch.

Auf dem langen Flug über den westlichen Stillen Ozean hatten die Männer genug Muße, auch über ihren eigenen rein finnischen Bürgerkrieg zu sprechen. Zunächst vergewisserten sie sich, dass in der Nähe keine Finnen oder Finnisch sprechende Reisende saßen, anschließend konnten sie sich die Zeit damit vertreiben, die Details des Aufstandsprojekts zu rekapitulieren und Ergänzungen zu planen. Da sie sich fernab ihrer Heimat befanden, kam ihnen die Frage in den Sinn, wohin die Führer des Aufstandes nach einem möglichen Misserfolg fliehen könnten. Wahrscheinlich käme kein einziges Mitgliedsland der EU für diesen Zweck infrage, sagten sie sich. Die EU konnte Personen, die sich gegen die legale Regierung eines ihrer Mitgliedstaaten erhoben hatten, nicht den Status des politischen Flüchtlings zuerkennen, das war klar. Auch nicht, wenn ihnen in ihrem Heimatland das Todesurteil drohte. Norwegen war das nächstgelegene denkbare Asylland, denn es gehörte nicht der EU an, aber als sicher konnte es ebenfalls nicht gelten, war es doch altes NATO-Mitglied, und die politischen Beziehungen zwischen dem Nordatlantikpakt und der Europäischen Union waren logischerweise sehr eng. Dasselbe traf auf Island zu.

Natürlich konnten die Aufstandsführer durch die Wälder nach Russland fliehen, immerhin gab es tausend Kilometer gemeinsamer Grenze, aber der Gedanke an politisches Asyl irgendwo im hintersten Russland, in den betongrauen, vom Permafrost umgebenen Städten, erschien schon in der Theorie fast noch schlimmer als der Tod am Galgen im heimatlichen Finnland. Hermanni hielt an der Grenze zwischen Finnland und Russland eine Flüchtlingsbewegung in beide Richtungen für denkbar, wenn die aufständischen Finnen in ihrer Not über die Ostgrenze nach Russland fliehen würden und von dort, ebenso verschreckt, massenweise Opfer der Glaubenskriege aus Südrussland nach Finnland hereinströmen würden. Die finnischen Arbeitslosen würden nach Russland fliehen, und als Gegengeschenk bekäme Finnland Kalmücken, Uiguren, Tschetschenen, Kosaken, Armenier und Azeren.

Ragnar Lundmark fand, dass die Führer des finnischen Aufstands schon im Voraus funktionierende Beziehungen zur Schweiz und zu anderen neutralen europäischen Ländern herstellen sollten. Nach Russland, so sagte er, war im Verlauf der Geschichte noch niemand freiwillig geflohen. Er vermutete, dass selbst Albanien für die finnischen Revolutionsführer ein angenehmeres neues Heimatland wäre als der östliche Nachbar.

»Nun übertreib nicht«, versuchte Hermanni Heiskari die Antipathie seines Butlers gegen Russland zu dämpfen.

Die Türkei und vor allem Malta kamen noch als mögliche Asylländer infrage.

Gemeinsam fanden sie heraus, dass auch Neuseeland in Betracht kam, wenn der politische Asyltourismus erst mal anlaufen würde. In diesem Sinne hatten sie ihr Reiseziel zufällig perfekt gewählt. Neuseeland war ohne Zweifel industriell entwickelt, dort wurden die westlichen Rechtsprinzipien anerkannt, und auch vom Klima her war es für Finnen geeignet.

In Neuseeland herrschten harte Wetterbedingungen, ein tropischer Sturm fegte über den Inselstaat, als Hermanni Heiskari und Ragnar Lundmark eintrafen. Der schwere Jumbojet knarrte und wackelte, als er auf dem Flughafen von Auckland landete, und der Zubringerbus musste auf seinem Weg in die Stadt mehrmals wegen des starken Regens anhalten. Hermanni hatte irgendwo gelesen, dass es in Neuseeland siebzig Millionen Schafe gab, und er sagte teilnahmsvoll:

»Bei diesem Wetter ist die Wolle der armen Viecher bestimmt bis auf die Haut nass.«

In Auckland gingen sie schnurstracks ins Hotel und legten sich schlafen. Erstmals in seinem Leben verspürte Hermanni die Belastungen eines Langstreckenfluges. Er wunderte sich, denn er hatte ja seinen Körper gar nicht angestrengt, sondern nur in seinem engen Sitz in der Touristenklasse gehockt und aus halb geschlossenen Augen die Wolkenmassen unter sich betrachtet, und trotzdem war er fast so müde wie einst in jungen Jahren, wenn er wochenlang hintereinander Stämme geschlagen hatte. Die Zeitumstellung als Folge der zurückgelegten Distanz verhinderte den Schlaf, und Hermanni musste sich wieder einmal eingestehen, dass auch das Leben der Herren nicht immer ein Zuckerschlecken war. All die reichen Säcke, die dauernd im Ausland umherreisten, mussten einen hohen Preis für ihr Vergnügen bezahlen, vielleicht nicht in Form der Flugtickets, aber doch zumindest in Form von körperlichen Belastungen.

Das Hotel hatte einen so hohen Standard, dass Hermanni seinen Anruf bei Lena in Åland direkt vom Badezimmer aus tätigen konnte, denn dort befanden sich sowohl ein Telefon als auch ein parallelgeschaltetes Fax. Auf dem Klo sitzend erzählte er ihr, dass die Reise gut verlaufen und dass zwischen ihm und Ragnar wieder alles in Ordnung sei. Er hätte noch gern ein paar Worte über Sehnsucht und Liebe hinzugefügt, aber heraus kam eine Bemerkung über das Wetter:

»Hier sagen sie, dass der Sommer kommt. Es bläst ein ziemlich frischer Wind.«

Auch wollte er bekennen, dass er schwer verliebt war, aber stattdessen äußerte er sich über den tropischen Sturm:

»Die Wolkenkratzer schwanken wie das Schilf am Ufer des Inarisees, und die Windgeschwindigkeit beträgt tausend Kilometer pro Stunde.«

25

Ragnar Lundmark fing an, für Hermanni ein Programm
in Auckland zu organisieren, denn wegen des Unwet-
ters waren zahlreiche Flüge gestrichen worden, und die
Anschlussverbindungen zu den Cookinseln im Stillen
Ozean waren unterbrochen. Dort hatte der Sturm dem
Vernehmen nach noch größere Schäden angerichtet als in
Neuseeland.

Ragnar schlug vor, dass sie sich der Wirtschaftspolitik
des Landes widmen sollten, die es ermöglicht hatte, die
Arbeitslosigkeit mehr als zu halbieren. Wenn man sich
in Finnland derselben Methoden bediente, brauchte man
den Volksaufstand vielleicht gar nicht. Nach Absolvierung
dieser ökonomischen Studien könnten sie es dann lockerer
angehen lassen und sich zum Beispiel mit der Schafzucht
vertraut machen. Hermanni war mit dieser Regelung sehr
einverstanden.

Allerdings zeigte sich, dass das Arbeitsamt des Landes
nicht gerade erpicht darauf war, sie zu empfangen. Finnische Gäste hatten sich nämlich im ganzen letzten Jahr die
Klinke in die Hand gegeben, sodass man die Bewohner
der nördlichen Hemisphäre mittlerweile einfach satthat-
te. Auch momentan hatten die hiesigen Behörden mehrere
Abordnungen finnischer Kommunalpolitiker und Regio-
nalverbände am Hals, die alle dasselbe wissen wollten:

Was konnte man vom neuseeländischen Modell lernen, und ließ es sich auf die finnischen Verhältnisse anwenden? Zeitgleich mit Hermanni und Ragnar waren eine Gruppe von Biomilchbauern aus Kiuruvesi, eine Abordnung des Regionalverbandes von Mittelostbottnien, drei Funktionäre des gewerkschaftlichen Zentralverbandes SAK aus Kainuu sowie die Bürgermeister und Gemeinderatsvorsitzenden von Pornainen, Jokioinen, Ranua und Keikyä zu Studienzwecken im Land unterwegs. Eine Abordnung der Stadt Hämeenlinna hielt sich schon zwei Wochen hier auf. Man schickte Ragnar ein fünfzig Seiten starkes Kompendium mit Informationen über die neuseeländische Arbeitsmarktpolitik ins Hotel, außerdem erhielt er Namen und Adressen mehrerer Finnen, die sich in Neuseeland niedergelassen hatten.

Aus dem Kompendium ging hervor, dass die Neuseeländer die Arbeitslosigkeit bekämpft hatten, indem sie die Sozialleistungen drastisch kürzten. Die Steuern waren gesenkt und der Export gefördert worden. In der Praxis hatte man die armen Leute in immer größere Bedrängnis gebracht, man hatte die Löhne gesenkt und jene Menschen, die der Arbeitsmarkt freigesetzt hatte, ins absolute Elend gestürzt oder gezwungen, sich irgendwie durchzuschlagen. Hermanni und Ragnar stellten fest, dass sich Europas kranke Jungfrau Finnland mit dieser Arznei nicht vom Leiden der Arbeitslosigkeit heilen ließe. Ein Programm dieser Art würde den Willen zum Aufstand nicht brechen, im Gegenteil, die Verbitterung der Leute würde wachsen.

Wie auch immer, Ragnar suchte Pekka Heikkinen auf, einen Finnen von gut vierzig Jahren, der vor einem Jahr nach Neuseeland gezogen war. Er war ein ehemaliger Unternehmer aus Vantaa, hatte einen Lastwagen gefahren und war jetzt für die Gabelstapler einer Speditionsfirma im Hafen von Auckland verantwortlich. Seine Frau Liisa hatte in Vantaa als Sozialbeamtin gearbeitet, war aber wegen eines Burn-outs ihrem Mann in das neue Land gefolgt, in dem man Arbeit fand, ohne dass man auf Knien darum bitten musste. Liisa war vorläufig zu Hause und betreute den jüngsten Familiennachwuchs, eine kleine Tochter, die in der neuen Heimat geboren worden war. Sie beabsichtigte, in ein, zwei Jahren wieder arbeiten zu gehen, wenn sie nur erst besser Englisch gelernt hätte. Die beiden älteren, fast erwachsenen Kinder, eine Tochter und ein Sohn, waren in Finnland geblieben.

Pekka kannte sogar Lena Lundmarks Firma vom Namen her. Er hatte in ihrem Auftrag mehrere Hundert Tonnen Lammfleisch nach Finnland auf den Weg gebracht.

Pekka besaß einen Geländewagen, mit dem er sie auf der Nordinsel herumkutschierte. Es war ein diesiger, kühler Tag, und immer noch wehte es heftig. Hier und dort sahen sie die Spuren des tropischen Sturms. Eine Obstplantage hatte sich komplett flach gelegt, und von Speichern und Schuppen hatten sich Blechdächer gelöst und über die Gegend verteilt. Das Gelände war hügelig, Wald gab es wenig, Schafe dafür umso mehr, sie bedeckten die grünen Weiden wie ein Wollteppich, überall. Im Sturm waren dem Vernehmen nach ganze Herden abhandengekommen. Von Zeit zu Zeit sahen die Ausflügler große Farmen, und Pekka erklärte, dass diese eigene Fleischräuchereien besaßen und auch selbst die Schafschur vornahmen. Unter den Händen eines geübten Scherers verlor ein Schaf seine Wolle innerhalb weniger Minuten.

Unterwegs besichtigten sie einige Plantagen, auf denen Zitrusfrüchte und Kiwis angebaut wurden. Am Nachmittag kehrten sie nach Auckland zurück und besuchten Pekka zu Hause. Er wohnte in einem hübschen Haus am Rande der Stadt, zu dem ein Garten und sogar ein kleiner Swimmingpool gehörten. Die Heikkinens hatten das Haus nur gemietet, sodass sie sich dort keine eigene Sauna bauen konnten.

Liisa hatte Irish Stew nach finnischer Art gemacht. Sie sagte, dass sie das Gericht ziemlich häufig zubereite, immer dann, wenn sie besonders starkes Heimweh habe.

»Nun fang nicht wieder an, der Arbeitslosigkeit zu Hause nachzuweinen«, schimpfte Pekka.

Liisa erklärte, dass das Einzige, nach dem sie sich sehne, die finnische Landschaft und ein paar Freunde seien. Ihr Leben finde jetzt hier statt, und zumindest bisher habe alles gut geklappt.

Liisa und Pekka waren nach der typischen Art von Einwanderern ganz beseelt von ihrer neuen Heimat und kritisierten die alte mit harten Worten. Sie waren genervt von der Trägheit und dem Versagen der finnischen Arbeitslosen und redeten sich richtig in Rage, als sie all die Missstände aufzählten, die die Arbeitslosigkeit im ehemaligen Heimatland hervorgebracht hatte.

»Manchmal, als ich damals hinter dem Schalter der Sozialbehörde saß und all das mitkriegte, hatte ich das Gefühl, dass es wie im Krieg war. Mutter und Vater hatten erzählt, dass damals der Schwarzmarkt blühte und Spekulanten allgegenwärtig waren, und dasselbe passierte jetzt in der Krise. Lug und Betrug, wo man hinsah. Ich mag das gar nicht alles erzählen. Viele logen und behaupteten, arbeitslos zu sein, obwohl allgemein bekannt war, dass sie Tag und Nacht schwarzarbeiteten.«

Pekka behauptete, dass die Berufskraftfahrer und die Zimmerleute am schlimmsten waren. Und Liisa ergänzte, dass auch die Friseure viel schwarzarbeiteten. Und was sollte man von den Tausenden erwachsenen Bauernsöhnen halten, die nur auf der faulen Haut lagen und ihr Arbeitslosengeld kassierten? Außerdem war bekannt, dass in Lappland viele Rentierdiebe und Fischer von staatlicher Unterstützung lebten, aber ganz dreist nebenbei diverse Jobs annahmen und natürlich nicht mal Steuern zahlten.

Pekka fand, dass es sich bei der Arbeitslosigkeit vielfach nur um Unfähigkeit oder notorische Faulheit der Betroffenen handelte. Für so manchen war die Krise eine willkommene Gelegenheit, herumzuliegen und nichts zu tun.

Sozialschnorrer, die sich hilflos gaben, unfähige Schlampen, die das Alleinerziehen zu ihrem Beruf gemacht hatten, versoffene Bauernlümmel und Knechte, Rentierdiebe und Schwarzarbeiter hatte die Krise auf den Plan gerufen. Liisa wusste, dass es laut Schätzung der Behörde in Finnland mindestens fünfzigtausend kriminelle Arbeitslose gab. Und ihre ehemaligen Kollegen hatten ihr geschrieben, dass eine Untersuchung irgendwo in Padasjoki ergeben hatte, dass nur noch zwei Drittel der Arbeitslosen in der Verfassung waren, eine Arbeit anzunehmen. Die anderen hatten schon aufgegeben.

»Sie ziehen sich zurück, liegen von morgens bis abends herum, öffnen nicht mal mehr die Tür, wenn der Sozialamtsmitarbeiter sich überzeugen möchte, ob die Familie wenigstens noch am Leben ist. Die Briefkästen werden nicht mehr geleert und Briefe nicht gelesen. Die Kinder bekommen nichts zu essen, bleiben sich selbst überlassen und lungern auf der Straße herum, ganz zu schweigen davon, dass Haustiere wie Katzen, Hunde, Meerschweinchen und Ähnliches ausgesetzt werden, und dann laufen

Tierschützer in den Wohnvierteln und auf den Mülldeponien herum, um die armen Viecher einzusammeln. Überschuldete Personen und jene mit Zahlungsschwierigkeiten sind noch ein Kapitel für sich, und auch unter ihnen finden sich viele Arbeitslose.«

Pekka sagte, dass ihm schon manchmal der Gedanke gekommen sei, dass es einen Aufstand geben müsste, um das ganze System zu erneuern. Alles Alte sprengen und an seiner Stelle einen neuen, gesünderen Staat errichten. Liisa bemängelte seine drastische Ausdrucksweise, obwohl sie in vielen Dingen mit ihm einer Meinung war.

»Andererseits saugt zu viel Arbeit die Menschen aus. Es gibt Familien, da leisten die Eltern ständig Überstunden, sie müssen es tun, wenn sie ihren Arbeitsplatz behalten wollen, und sie haben niemanden, der sich um die Kinder kümmern kann, selbst wenn sie es noch so gern wollten. So landen dann Kinder aus absolut soliden Familien in irgendwelchen Gangs, oder sie hängen die ganze Nacht in Discos oder auf Feten herum. Morgens in der Schule sind sie völlig fertig, dösen in den Stunden vor sich hin, oder sie stören und lärmen, sodass auch die Mitschüler nichts lernen. In Finnland herrscht ein schreckliches Chaos.«

Hermanni Heiskari war drauf und dran, einzuhaken und darauf aufmerksam zu machen, dass keineswegs alle Arbeitslosen Drückeberger und Sozialschnorrer seien, sondern die meisten anständige Leute, die sich ehrlich wünschten, wieder Arbeit zu finden. Doch dann sagte er sich, dass es wohl keine so gute Idee wäre, mit den Gastgebern einen Streit über die Moral der Arbeitslosen anzufangen. Man war hier viel zu weit weg von den Problemen, war auf der anderen Seite des Erdballs, also ließ er es auf sich beruhen.

Aus dem Kinderzimmer war forderndes Geschrei zu hören. Liisa eilte dorthin, um das Baby zu beruhigen. Sie erklärte, dass die Kleine noch nicht mal einen Namen habe, obwohl sie schon vier Monate alt sei. Aber die Eltern konnten sich nicht entschließen, welcher Kirche sie beitreten wollten.

»Hier haben wir unseren wunderbaren kleinen Abendstern«, plapperte Liisa. Pekka pries das Baby als sehr brav. Es hielt die Eltern nachts nie wach, hatte keine Mittelohrentzündung oder dergleichen, war ein pflegeleichtes Kind.

Pekka musste zur Spätschicht aufbrechen. Er lud Hermanni und Ragnar ein, am nächsten Tag in den Handelshafen zu kommen. Dort würden Schafe auf ein Viehtransportschiff geladen. Das war ein sehenswertes Schauspiel, beteuerte er und versprach, als Guide und Gastgeber zu fungieren, denn Außenstehende hatten keinen Zutritt zum Hafen, vor allem sollte niemand beim Verladen der Schafe Zeuge sein.

Als Pekka weg war, holte Liisa aus der Schlafkammer zwei Paar Handschuhe, die auf traditionelle finnische Art aus Schafwolle gestrickt waren und die sie Ragnar übergab. Sie bat ihn, die Handschuhe mitzunehmen und in Vantaa ihren beiden ältesten Kindern zu überbringen. Auf dem Päckchen stand die Adresse, aber per Post wollte Liisa es nicht schicken, denn der Sohn würde bald zur Armee gehen und die Tochter hatte in ihrem letzten Brief angedeutet, dass sie möglicherweise in eine andere Mietwohnung umziehen müsste.

»Leena soll im kommenden Frühjahr Abitur machen, und ich bin sehr in Sorge, ob sie klarkommt, nachdem wir auf die andere Seite des Erdballs gezogen sind. Manchmal habe ich so schreckliche Sehnsucht und bin so traurig, dass ich einfach weinen muss.«

Die Kinder hatten nicht mit den Eltern nach Neuseeland mitgehen mögen, sie hatten in Vantaa ihre Freunde, ihre Schule, das Studium, die Armee. Die Eltern schickten Geld nach Finnland, schrieben oft und wollten sich sogar ein Fax anschaffen, damit die Briefe schneller ans Ziel kamen. Aber in Finnland hatten sie einfach nicht länger bleiben können. Liisa brach in Tränen aus.

»Wir haben uns seit Jahren nicht gesehen ... bitte nehmen Sie ihnen doch diese Handschuhe mit, es steckt für jeden ein Gedicht drin, das wir selbst geschrieben haben, Pekka hat sich den Inhalt ausgedacht, ich habe gereimt ... Falls die beiden umgezogen sind, ermitteln Sie doch freundlicherweise die neuen Adressen ... ach, wahrscheinlich machen sich die jungen Leute heute gar nichts mehr aus solchen Sachen.«

Als Liisa sich beruhigt hatte, begann sie das Baby zu stillen.

»Aber wir haben ja dich, mein kleiner Abendstern ... ja, wie sollen wir denn Mamas Schätzchen nennen, Sari oder Marja? Oder Diana, da wir in einem englischsprachigen Land leben.«

Am nächsten Tag holte Pekka die beiden Gefährten im Hotel ab und fuhr mit ihnen in den Hafen, dort stellte er seine Kollegen vor und führte sie in seine Arbeitsbaracke. Pekka hatte die Oberaufsicht über vierzig Gabelstapler und mehrere Containerkräne, Letztere waren ein Produkt der finnischen *Kone* AG. Wie er angekündigt hatte, wurden im Hafen unter großer Hektik Schafe verladen. Im Abstand von wenigen Minuten fuhren am Kai große Trucks vor, auf denen in zwei Ebenen übereinander kahl geschorene Fleischschafe standen. Hinter dem Truck wurden Zäune aufgestellt, und die Tiere wurden durch die enge Schleuse aufs Deck eines riesigen Frachtschiffes getrieben, wo die Mannschaft sie entgegennahm und sie entweder nach unten in den Laderaum oder auf die oberen Frachtdecks dirigierte. Im Inneren des Schiffes gab es Verschläge, in die jeweils zweihundert Schafe gepfercht wurden. Jedem Tier stand knapp ein halber Quadratmeter zur Verfügung, sodass es nur den Schwanz und den Kopf bewegen konnte. Der Zielhafen befand sich im Nahen Osten.

Pekka sagte, dass es wahrlich einfacher wäre, Lämmer fertig geschlachtet auf Kühlschiffen zu transportieren, aber die Abnehmer in den arabischen Ländern wünschten die Tiere lebend. Sie würden erst kurz vor der Mahlzeit nach religiösen Ritualen geschlachtet.

»Ihnen wird bei lebendigem Leibe die Gurgel durchgeschnitten.«

Immer neue Trucks trafen ein, um ihre blökende Fracht im Hafen zu entladen. Pekka erzählte, dass bis zum Abend achtzigtausend Tiere auf dem Schiff wären, dieses würde dann aufs offene Meer geschleppt, und von da würde es aus eigener Kraft weiterfahren. Der Bestimmungsort war Jordanien. Der Transport musste schnell gehen, denn die Tiere wurden unterwegs nicht gefüttert, sie konnten höchstens ein bisschen von dem Wasser auflecken, das auf den Stahlboden der Verschläge gespritzt wurde.

Hermanni und Ragnar errechneten aus Jux, dass es drei Tage und Nächte dauern würde, um sämtliche finnische Arbeitslose in diesem Tempo auf Schiffe zu verladen. Falls man die Leute beispielsweise nach Südamerika in ein eigenes Reservat transportieren wollte, ließe sich die ganze Operation innerhalb von zwei Monaten durchführen. Lena Lundmarks Reederei und Speditionsfirma würden dabei richtig reich werden.

26

Eine Woche später flogen sie auf die Cookinseln, die fast in der Mitte des Stillen Ozeans liegen. Die Inseln sind Mandatsgebiet von Neuseeland, und das Mutterland hält ihre Verteidigung und ihre Wirtschaft aufrecht, aber die örtliche Bevölkerung hat eine weitgehende Selbstverwaltung – eigene Gesetze, ein eigenes Parlament und sogar einen eigenen König.

Wie gewöhnlich vertrieben sich Hermanni und Ragnar ihre Zeit auf dem langen Flug damit, die Einzelheiten des Aufstandsplans zu diskutieren. Ragnar machte sich darüber Gedanken, ob Finnlands reguläre Armee wohl Panzer einsetzen würde, um die Truppen der Aufständischen niederzuschlagen. Im Allgemeinen wurden Bürgerkriege in Form von Guerillakämpfen geführt, in denen die schwere Ausrüstung zu unbeweglich war, als dass sie im Kampf gegen den mobilen, versteckt lauernden Gegner eingesetzt werden konnte.

Es ergab sich die Frage, wie sich die arbeitslosen Kämpfer verteidigen könnten, falls trotzdem Panzer in ihre Stützpunkte rollten. Die Armee der armen Leute hätte nicht die Mittel, sich Panzerabwehrwaffen anzuschaffen, zumindest nicht im Hinblick auf größere Kriegshandlungen. Ragnar musste an die Schreckensbilder aus den schweren Tagen des Winterkriegs denken, damals waren die Finnen gezwungen gewesen, die Angriffe der russischen Panzer sozusagen mit bloßen Händen abzuwehren. Sie hatten eine wirksame Sprengmethode entwickelt, eine Brandflasche namens Molotowcocktail, mit der sie die Panzer zerstörten. Aber selbst die hatten sie nicht immer zur Verfügung gehabt. Manchmal mussten sie auf trockene Birkenkloben zurückgreifen, die sie in eine der Raupenketten des Panzers steckten. Dadurch war die betroffene Seite des Wagens blockiert, er drehte sich auf der Stelle, und die Finnen konnten ihn mit Handgranaten sprengen.

Hermanni erzählte eine Geschichte vom Schmucken Jussi, der auf die ihm eigene ungenierte Art diese Abwehrmethode angewandt hatte, als er in den Fünfzigerjahren im Koreakrieg aufseiten der Roten Militärberater gewesen war. Die amerikanischen Panzer waren Furcht einflößende Gegner gewesen, und die Koreaner an der Nordfront und der in ihren Reihen kämpfende Schmucke Jussi hatten keine Bazookas gehabt, von Panzerabwehrkanonen ganz zu schweigen. Da wären trockene Birkenkloben von einem Meter Länge höchst willkommen gewesen, aber die waren nicht vorrätig, denn fern im asiatischen Hinterland hatte ja niemand den Wald nach finnischer Art bearbeitet. Als wieder mal ein amerikanischer Panzer in die Verteidigungslinie der Infanterie dröhnte, während rote Blitze aus dem Kanonenrohr zuckten, blieb Jussi nichts weiter übrig, als seinen linken Fuß zwischen die Ketten des Ungetüms zu stecken. Auf diese Weise brachte er den Panzer zum Stehen, auch wenn es in der Raupenkette böse knirschte. Aber der Patton-Panzer konnte auf jeden Fall unschädlich gemacht werden. Der Fuß des Schmucken Jussi war also nicht vergebens zerquetscht und deformiert worden.

Es war Nacht, als das Flugzeug auf der Paradiesinsel Turavinga landete. Vom Flugplatz aus wurden die Reisenden in einem offenen Auto zu zwei Hotels gefahren, Hermanni und Ragnar wählten das teuerste. In der Dunkelheit blinkten hier und da einsame Lichter, die davon kündeten, dass auch auf dieser Insel Menschen wohnten. An der Decke des Hotelzimmers hing ein Ventilator, dessen drei Flügel träge paddelten und die tropische Hitze ein wenig erträglicher machten.

Am Morgen, bei Licht, sahen sie eine wunderschöne Insel, die von einem schäumenden Korallenriff umgeben war, während in ihrem Inneren hohe vulkanische Berge aufragten. Turavinga war etwa zehn Kilometer breit und um ein weniges länger, ringsum verlief am Ufer eine schmale Straße. Die hohen Palmen wiegten sich im herrlichen Wind des Stillen Ozeans. Alles war so unglaublich schön, dass die Reisenden das Gefühl hatten, in ein wirkliches, irdisches Paradies gekommen zu sein.

Wie es hieß, war der derzeitige König ein fetter Kerl, der von morgens bis abends Palmwein trank und vermutlich höchstens noch bis zur nächsten Regenzeit leben würde.

Turavinga hatte außer dem Flugplatz und den beiden Hotels mehr als fünfzig Missionsstationen und Kirchen. Das ließ darauf schließen, dass die wilden Ureinwohner der Südsee weit sündiger waren als die schlimmsten Schurken in der übrigen Welt und dass deshalb massenweise aufopferungsvolle westliche Missionare gebraucht wurden, um ihre schwarzen Seelen zu retten.

Hermanni mietete sich ein Fahrrad und umfuhr zwei, drei Mal die Insel, jede Runde war dreißig Kilometer lang. Von den Hügeln wehten die Düfte der Blumen und Kräuter herüber, vom Meer her kam ein frischer und warmer Wind. Der Straßenrand leuchtete rot von blühender Bougainvillea.

Aber der Oberst und Butler Ragnar Lundmark saß in der Strandbar und schielte nach den jungen und sehnigen polynesischen Burschen, die ihn umso mehr interessierten, je mehr Cocktails er schlürfte. Er sprach die Jünglinge an und unterhielt sich mit ihnen, schloss Bekanntschaften. Es ist ja so, dass solche Kontakte zwischen den Völkern, unabhängig von Rasse oder Staatsform, ein Ausdruck der großartigen Fähigkeit der zivilisierten Welt sind, zurückgebliebenen Naturvölkern Kultur zu vermitteln. Die jungen Kellner und ein paar andere Burschen, die sich angefunden hatten, besuchten Ragnar auch auf seinem Zimmer. Die freien und unbefangenen erotischen Sitten der Südsee fanden die völlige Billigung des Oberst.

Bei diesen völkerverbindenden Aktivitäten wurden sie nach ein paar Tagen aufrichtige Freunde, man darf sagen, sie kamen prächtig miteinander klar. Ragnar wurde sogar zu einem traditionellen Fest eingeladen, das die Ureinwohner in einem Dorf in den Hügeln veranstalten wollten. Man sagte ihm, dass er der Ehrengast sein würde. Als er sich erkundigte, ob er die Einladung auch an seinen Reisegefährten Hermanni Heiskari weitergeben könnte, reagierten die einheimischen Burschen ablehnend. Dieser große und zähe Finne gehörte nun wirklich nicht auf die Gästeliste des bevorstehenden Festes. Am bewussten Tag hinterließ Ragnar also in seinem Zimmer einen Zettel mit der Nachricht, dass er diesen Abend und vielleicht auch die Nacht bei den Ureinwohnern in einem Dorf in den Bergen verbringen würde.

Zur vereinbarten Stunde holten die bezaubernden polynesischen Jünglinge den Oberst mit ihren Mopeds ab, und so verschwand er in der Dunkelheit auf dem Pfad, der in die Berge führte.

Hermanni kehrte bei Einbruch der Dunkelheit ins Hotel zurück und gab sein Fahrrad in der Ausleihstation ab. Anschließend setzte er sich in die Strandbar, trank ein kühles Bier und schaute aufs Meer, das in der Dunkelheit beruhigend rauschte. Am Horizont, ein paar Hundert Meter entfernt, schimmerte ein weißer Schaumrand, dort lag das Korallenriff, hinter dem der Tausende Kilometer weite Ozean begann. Hermanni war ganz ruhig und entspannt und hatte das Gefühl, dass alle Menschen in ebendiesem Moment lieb und freundlich waren.

Unheil verkündendes Trommeln klang von den Bergen herunter. Hermanni ahnte, dass hoch droben im Mittelteil der Insel Feste der heftigeren Art begannen. Wo mochte Ragnar stecken?, fragte er sich, ging zum Zimmer des Oberst und klingelte an der Tür. Keine Antwort. Hermanni ließ sich an der Rezeption den Schlüssel seines Reisegefährten aushändigen, fand im Zimmer die kurze schriftliche Botschaft und kehrte wieder in die Bar zurück. Dort begann er in seinem akzeptablen Englisch ein Gespräch mit dem Kellner, fragte, was das Trommeln bedeutete, und plötzlich begriff er. Dort oben war ein Fest und dort war Ragnar, und womöglich in keiner ganz sicheren Gesellschaft. Hermanni griff sich in der Ausleihstation eine Vespa, trat auf den Anlasser und lenkte das Gefährt auf den Trampelpfad, der in die Berge führte.

Im schwankenden Lichtkegel der Vespa sah er Ananasgewächse und Palmenstämme, bis er in eine Höhe gelangt war, in der nur mehr Sträucher wuchsen. Endlich gelangte er aufs Bergplateau, dort gab es einen freien Platz, ringsum standen mehrere Hütten. Mitten auf dem Platz loderte ein großes Feuer, um das sich die Leute versammelt hatten, und auch Ragnar Lundmark befand sich dort. Er lag in der Nähe des Feuers mit ausgestreckten Beinen auf einer Trage, die Hermanni an einen Operationstisch erinnerte. Im Schein des Feuers konnte er erkennen, dass sein alter Gefährte nicht mehr bei Verstand war, er war in einen Drogenrausch versetzt worden, deswegen halb bewusstlos und begriff nicht, was vor sich ging. Auf seinem Gesicht lag ein glückliches, idiotisches Lächeln.

Neben Ragnars Trage stand ein Tisch mit mehreren großen Messern und zwei stabilen Fleischklopfern sowie mit Kesseln und Töpfen. Auch Haushaltskrepp und viele Dosen mit verschiedenen Gewürzen waren da. Hermannis Blick fiel auf Grillmarinade und Heinz-Ketchup, auf Soja- und Chilisoße. Ihm schoss durch den Kopf, dass Senf fehlte, aber es war keine Zeit, diesen Gedanken weiterzuverfolgen. Hermanni sauste mit seiner Vespa an die Trage heran, packte Ragnar am Haar und an einem Arm und schwang ihn sich auf den Rücken, dass der Hintern des Nackten auf den Gepäckträger des Mopeds klatschte, und dann steuerte er auf direktem Wege den Pfad an, der zum Hotel führte. Es ging so steil bergab, dass Hermanni ständig bremsen musste. Er sagte sich, dass womöglich die Bremstrommeln verbrannten, aber inzwischen hatte er auch schon fast die Ebene erreicht.

Als die Dorfbewohner begriffen, dass ihre Delikatesse frech geraubt und fortgeschleppt worden war, wurden sie schrecklich wütend und schlugen auf ihre Trommeln ein, dass an den dünnsten Stellen die Häute rissen. Die hitzigsten unter den jungen Burschen wollten die Verfolgung aufnehmen und den Braten zurückholen, aber schließlich wagten sie es dann doch nicht und demonstrierten nur ihre Wut durch bedrohlichen Lärm. Unten am Strand hörte sich das Gedröhn ganz schrecklich an.

Am Morgen war Ragnar immer noch so berauscht, dass er sich das Hemd verkehrt herum anzog, anschließend schleppte er sich mit hämmernden Schläfen zum Frühstück. Hermanni gesellte sich zu ihm. Lustlos bestrich sich Ragnar seine Toastscheibe mit Butter und Käse und versuchte Tee zu schlürfen. Es wollte ihm nicht recht schmecken. Vorsichtig erzählte Hermanni von den nächtlichen Ereignissen, an die Ragnar keinerlei Erinnerung hatte. Er wunderte sich allerdings, dass er sich so elend fühlte, und nahm an, er hätte mit der reizenden einheimischen Bevölkerung ein bisschen zu eifrig gefeiert. Hermanni erkannte, dass sein Kumpan rein gar nichts von seinem Martyrium wusste. Auf dieser Insel schien es Kräuter zu geben, die dem Menschen Verstand und Erinnerung gleichzeitig raubten.

Hermanni schnitt sich ein tüchtiges Stück von einer Scheibe Schinken ab und sagte zu Ragnar:

»Man wollte dich letzte Nacht in den Kochtopf stecken.«

Einen so grotesken Gedanken mochte Ragnar einfach nicht glauben, auch nicht, als Hermanni die Einzelheiten dessen erzählte, was sich oben auf dem Berg abgespielt hatte. Unvorstellbar, dass so etwas an der Schwelle zum einundzwanzigsten Jahrhundert passierte, war Hermanni verrückt geworden? Erst als sie in sein Zimmer gegangen waren, dämmerte Ragnar die schreckliche Wahrheit. Auf seinem Körper waren mit kräftigem Filzstift überall Schnittstellen eingezeichnet, ähnlich wie in Lehrbüchern, in denen die Zerlegung eines Tierkörpers beschrieben wird. Die Schulter war fachkundig markiert, ebenso auch die anderen schmackhaften Teile: Haxen, Koteletts, Kassler, Filet, sogar das Halsfleisch.

Hermanni geleitete seinen Butler in die Dusche und schrubbte hilfsbereit die Markierungen ab. Die Striche hafteten bemerkenswert hartnäckig auf der Haut, vielleicht war ein wasserfester Filzstift benutzt worden. Auch konnte Hermanni nicht umhin, sich bei der Gelegenheit zu informieren, wie der finnland-schwedische Homo-Onkel nackt aussah. Ragnar Lundmarks Körper war erstaunlich gut proportioniert. Obwohl er bereits ein alter Mann war, war sein Bauch überhaupt nicht schlaff, er hatte keine Krampfadern, und die Muskeln waren fest.

Als Ragnars Körper von den Todesstrichen reingewaschen war, packten die beiden Männer rasch ihre Koffer und bestellten sich Tickets für die nächste Maschine, die den Flughafen verlassen würde. Wie sich zeigte, würden sie nach Frankreich beziehungsweise nach Tahiti fliegen, das mehrere Tausend Kilometer nordostwärts lag.

27

Tahiti ist ein Himmelreich mitten im warmen Ozean. Hermanni Heiskari und Ragnar Lundmark quartierten sich im luxuriösen Strandhotel *Beachcomber* nahe der Hauptstadt Papeete ein. Die Zimmer befanden sich in separaten kleinen Hütten mit Schilfdach, eigenem Kühlschrank und Klimaanlage. Am Strand wiegten sich die Palmen, und weiter draußen vergnügten sich die jungen Leute mit Surfbrettern. Die Männer beschlossen, diesen herrlichen Sport auszuüben.

Jetzt war gute Gelegenheit, Hermannis Ausbildung zum Gentleman weiterzuführen. Tahiti war gerade für diesbezügliche sportliche Aktivitäten ideal geeignet. Hermanni und Ragnar beschlossen, das Paradies im Ozean in vollen Zügen zu genießen.

Ragnar entwarf einen Verlaufsplan, der, außer Wellen- und Windsurfing, Folgendes vorsah:

Segeln

Reiten

Galopprennen

Polo

Tontaubenschießen

Kaninchenjagd

Bildende Kunst

Gastronomie

Vor allem aber die Planung des dritten finnischen Volksaufstandes, speziell in den Abschnitten Kriegsökonomie, Guerillataktik und Feldbefestigung.

Segeln lernten sie mit dem wohlwollenden Beistand des Segelklubs von Papeete: Sie mieteten ein sechzehn Fuß langes Boot, mit dem sie im offenen Wasser draußen vor dem Korallenriff umherschipperten. Anfangs war ein Ausbilder des Segelklubs dabei, aber bald brauchten sie ihn nicht mehr, denn Hermanni und Ragnar lernten das kleine Boot mühelos selbst zu beherrschen. Sie pflegten sich im Hotel einen Picknickkorb zu bestellen und auf ihrem vormittäglichen Segeltörn draußen auf See einen Lunch einzunehmen. Bald kannten sie das Wasser vor der Hauptinsel zur Genüge, und eines Tages segelten sie bis zur Insel Moore, die allerdings nicht weit entfernt war.

Ihre zweite Beschäftigung war das Reiten, und als sie auch das gelernt hatten, konnten sie als Nächstes Galopp und schließlich sogar Polo trainieren. Sie mieteten sich in den Reitställen von Papeete warmblütige Araberstuten, die ein feuriges Temperament hatten, aber so ausgebildet waren, dass sie auch Fremde auf ihrem Rücken akzeptierten.

Hermanni Heiskari brachte es bald zu guten Reitkünsten. Er rühmte sich damit, seinerzeit in den Fünfzigerjahren vom Schmucken Jussi höchstpersönlich Reitstunden erhalten zu haben, denn Jussi hatte vor dem Zweiten Weltkrieg als Abenteurer in den USA nicht nur nach Gold gegraben und Mammutbäume gefällt, sondern auch als Cowboy gearbeitet.

Ragnar Lundmark konnte absolut nicht glauben, dass der Schmucke Jussi durch die USA gereist war, geschweige denn, dass er Hermanni im Nachkriegsfinnland reiten gelehrt hatte. Nach seinen Berechnungen war Hermanni

damals erst fünf oder sechs Jahre alt gewesen, und Klein-
kinder wurden im Wilden Westen nicht als Cowboys
ausgebildet, auch nicht in Lappland unter Jussis Aufsicht.

Hermanni hielt Ragnars Zweifel für blanken Neid.

In den darauffolgenden Wochen kamen Tontaubenschießen und Kaninchenjagd an die Reihe. Die Männer machten
auch einen Ausflug zu einer Ananasschnapsfabrik, deren
scharfe Produkte sie vorsichtig probierten.

Hermanni erzählte vom berühmten französischen Künstler Paul Gauguin, der im vergangenen Jahrhundert auf der
Insel gelebt hatte. Gauguin hatte in Europa viele Misslich-
keiten erlebt und war nach Tahiti geflohen, um Ruhe zum
Malen zu finden – gleichzeitig war er so seine giftige däni-
sche Ehefrau losgeworden. In Tahiti hatte er mehrere Mäd-
chenfrauen gehabt, die ihn umsorgt hatten, und gerade
hier hatte er den Hauptteil seiner Werke geschaffen. Die
Insulaner hatten ihm zu Ehren ein Kunstmuseum errichtet, es war ein kleines Gebäude mitten im Dschungel. Hier
war es, wo Hermanni seinen Butler über Gauguins Leben
und Werk belehrte.

Er erzählte, dass Gauguin großes Geschick darin gehabt
hatte, das Licht darzustellen, er war einer der großen
Impressionisten seiner Zeit gewesen und später zum einfachen Symbolismus übergegangen.

Gauguins Ehefrau, jene erwähnte Dänin namens Mette,
war unzugänglich und hart gewesen, ein richtiger Satan
von einem Weib, und es war zum großen Teil ihre Schuld
gewesen, dass der Maler anfing zu trinken und in der Welt
herumzureisen, um seinen Seelenfrieden zu finden. Der
arme Kerl starb bereits in mittleren Jahren am Alkohol
und an seinen Krankheiten, nachdem er sich erbittert mit

den Behörden und auch mit fast allen anderen Menschen gestritten hatte.

Doch bald war es wieder an der Zeit, das Aufstandsprojekt weiter zu planen. Hermanni Heiskari begann ein Handbuch der Guerillataktik zu schreiben. Er studierte die Literatur, die er mitgebracht hatte und die sich mit der Geschichte der finnischen Kriegstaktik befasste. Diese Lehren komprimierte er und passte sie den Erfordernissen eines Aufstands an.

Ragnar Lundmark wiederum schrieb ein Regelwerk der Kriegsökonomie. Die Finanzierung eines Guerillakrieges war eine anspruchsvolle Aufgabe, und ihr versuchte sich der Oberst jetzt mit aller Kraft zu widmen. Dabei konnte er auf seine langjährigen Erfahrungen im Dienste der lundmarkschen Reederei und Spedition zurückgreifen. Wenn auch Reeder im Guerillakrieg nicht gebraucht wurden, so war das Fachwissen aus der Spedition umso wichtiger. Kriegskunst, Kriegsgeschichte, Kriegsökonomie und Waffenlehre, all diese Fragen spielten eine Rolle in den Plänen, die auf Tahiti entstanden.

Über die Grundlagen der Guerillataktik schrieb Hermanni Heiskari eine zusammenhängende, fast hundert Seiten umfassende Broschüre, dabei versuchte er den Text so allgemein verständlich und einfach zu formulieren, dass ihn auch Personen, die nicht die Wehrpflicht absolviert hatten, also Frauen und Jugendliche, verstanden.

Dieses Handbuch war so klar und instruktiv, dass es gut und gern als Grundlage der Militärtaktik des Volksaufstandes dienen konnte. Hermanni teilte seine Anweisungen in zwei Hauptteile ein, der eine handelte von den Aktivitäten der Waldguerilla, der andere von den Erfordernissen des Stadtkrieges.

Für die Kämpfer in den Wäldern plante Hermanni eine leichte Ausrüstung, bestehend aus einem Sturmgewehr, einem Dolch, einem Rucksack mit Tragegestell, einem Tarnanzug, einem Schlafsack und Partisanenverpflegung. Die Kosten für diese Ausrüstung kalkulierte er mit zweitausendachthundert Mark pro Mann, wobei er für die Waffe sechshundert Mark veranschlagte. Ungefähr so viel bezahlte man im internationalen Großhandel für ein chinesisches halbautomatisches Sturmgewehr, während die Sten-Gun-Maschinenpistolen, die aus den Beständen der Alliierten veräußert wurden, mit Magazin und allem Drum und Dran knapp zweihundert Mark kosteten.

Hermanni konstruierte Beispiele von Kampfsituationen. Er erklärte detailliert, wie ein großes Industrieviertel zerstört wurde. Als Ort der Operation wählte er den Hafen von Söörnäinen, und das zu zerstörende Objekt sollten die Öltanks nahe am Wasser sein. Er empfahl ein Kampfkommando von etwa zwanzig Mann. Beginnen sollte der Angriff im Dunkeln, zwischen Mitternacht und frühem Morgen. Zunächst sollten die Kämpfer die Wächter im Hafen töten, anschließend mit zwei LKWs voller Sprengstoff aufs Gelände fahren und die Ladung an vorab geplanten Stellen platzieren, die Sprengladungen aktivieren, mit den Lkws abfahren und sich am Ende noch über das tatsächliche Ausmaß des entstandenen Schadens informieren. Unter Ausnutzung des Chaos, das das Überraschungsmanöver bewirkt hätte, sollten die Kämpfer vom Ort des Geschehens flüchten und sich auf neue Angriffe vorbereiten.

Taktisch anspruchsvoller war die Aufgabe, einen Guerillastützpunkt in der Einöde zu verteidigen. Hermanni veranschlagte als Mannstärke zehn Zellen mit je drei Aufständischen. Die gesamte Besatzung bestünde also nur aus dreißig Kämpfern, aber die wirksame Verteidigung stützte sich vor allem auf die sorgfältige Wahl des Ortes und auf eine effektive Befestigung.

Das Versteck selbst sollte Teil eines Netzwerkes mehrerer Stützpunkte sein, sodass sich im Falle, dass einer entdeckt würde und an den Feind verloren ginge, die Partisanen mit wenig Verlusten in den nächsten zurückziehen könnten. Die Stützpunkte sollten weit draußen in der Einöde angelegt werden, in unwegsamem Gelände, am besten in Sümpfen oder auf waldigen Inseln, sodass sie sich effektiv bewachen ließen. In solch einer befestigten Stellung für dreißig Kämpfer benötigte man fünf Unterstände und die sie verbindenden Schützengräben, ferner eine Küche, eine Krankenstube, Lagerraum für den Proviant und die Waffen sowie einen Brunnen. Die Bewaffnung bestünde, außer aus Handfeuerwaffen, aus leichten Granatwerfern und aus Bazookas mit Splittermunition. Jeder Stützpunkt sollte von einem weiten Minenfeld umgeben sein. Die Minen könnte man noch zu Friedenszeiten preisgünstig im Ausverkauf von Schwedens Armee erwerben, die sie für zu grausam hielt und nicht in einem eventuellen Krieg einsetzen wollte.

Falls ein Stützpunkt den Regierungstruppen überlassen werden musste, war er noch vor der Flucht zu sprengen. Wichtig war, dass weder Gefangene noch Dokumente in die Hände des Feindes gerieten. Die Flucht hatte nach einem fertigen Plan zu erfolgen, und falls das nicht gelang, hatte sich die Besatzung in die Grundzellen zu je drei Mann aufzuteilen und in den Wäldern zu zerstreuen. Sie dort aufzuspüren wäre übermächtig schwer für die auf Frontkämpfe eingestellte reguläre Armee.

Ragnars Betrachtungen zur Ökonomie des Aufstandes basierten auf pauschalen Berechnungen, denn der Verlauf des Krieges und der Zeitpunkt seines Beginns waren ja noch unbekannt. Was der Volksaufstand schätzungsweise kosten würde, ließ sich vor dem Ausbruch des Krieges unmöglich verlässlich sagen, schrieb Ragnar in seinem Vorwort und betonte, dass die gesamte Sondierungsarbeit nur dazu gedacht war, den späteren verantwortlichen Kriegsökonomen entsprechende Anhaltspunkte zu geben. Er erwähnte, dass es in der gesamten Geschichte keinen einzigen Krieg gegeben hat, bei dem man vorab auch nur annähernd die Kosten hatte berechnen können. Er verwies auf die Pläne für den Zweiten Weltkrieg und die letztlich durch ihn entstandenen Kosten, die so immens sind, dass man sie bis heute nicht verlässlich berechnen kann.

Wie auch immer, Ragnar Lundmark kam bei seinen Betrachtungen zu dem Schluss, dass der von Hermanni Heiskari geplante Bürgerkrieg etwa fünfzig Milliarden Mark kosten würde. Den größten Posten bildeten die Zerstörungen durch die eigentlichen Kriegshandlungen. Die Berechnungen gründeten sich auf die Annahme, dass der Krieg zwei Jahre dauern würde. Hielte er länger an, wäre er natürlich um ein Vielfaches teurer.

Zu der Frage, wer den Volksaufstand letztlich finanzieren würde, nahm Ragnar nur ganz allgemein Stellung. Zunächst wären es die Aufständischen selbst, die ihren eigenen Krieg finanzieren würden – die heimlichen Depots, die Ausrüstung, den Proviant, die Transport- und Kommunikationsmittel, die Feldlazarette und Ähnliches. Was die größeren Depots und teurere Anschaffungen betraf, müsste bereits zu Friedenszeiten Leihkapital besorgt werden. Die eigentlichen Kriegsschäden müsste automatisch der finnische

Staat bezahlen, denn die Europäische Union würde wohl kaum einen lokalen Arbeitsmarktkrieg finanzieren wollen, und Finnland als kleine Nation hätte nicht genügend Autorität, Druck auszuüben. Internationale humanitäre Hilfe würde es für das von einem Bürgerkrieg geschüttelte Finnland natürlich geben. Diesen Einnahmeposten ließ Ragnar bei seinen Berechnungen unberücksichtigt, denn diese Art von Hilfe kam meist verspätet, wenn bereits das Ende des Krieges bevorstand, sodass dieses Geld nicht mehr bei der eigentlichen Kriegsführung zu Buche schlug.

Finnlands Wiederaufbau würde, vorsichtig geschätzt, hundertfünfzigtausend Arbeitslose für zehn Jahre beschäftigen. Somit hätte der Volksaufstand vielfältige Auswirkungen auf die Beschäftigungssituation. Nahm man die Zahl der Gefallenen, sowohl unter den Guerillakämpfern als auch unter den Soldaten der regulären Armee und unter den unbeteiligten Zivilisten, käme man auf etwa zweihunderttausend Personen, deren Arbeitsplätze ebenfalls frei wären. Die Verwundeten, die Vermissten und die aus dem Land Geflüchteten würden ebenfalls Zigtausende freier Stellen hinterlassen.

Die eigentlichen Kriegshandlungen würden die gesamte Bevölkerung zwei Jahre lang an entsprechende Aufgaben binden, sodass wichtige andere Arbeiten im zivilen Bereich unerledigt blieben und anschließend rasch nachgeholt werden müssten.

Wenn die Kunde vom drohenden Aufstand zu den Arbeitgebern vorgedrungen und ihnen der Schrecken in die Knochen gefahren wäre, würden sie ja vielleicht doch noch begreifen, dass sie, falls sie ihr Leben, ihr Vermögen, ihre Fabriken und Lager behalten wollten, weiter denken mussten als nur an den eigenen Vorteil und an schnelle

Gewinne. Sie würden wieder fachlich geschulten Bürgern ihres Landes Arbeit anbieten, würden von kurzsichtigen und unnötigen Sanierungen Abstand nehmen und auf menschliche Arbeitskraft statt auf teure Robotertechnik setzen.

Der Volksaufstand würde nachdrücklich und auf effektive Weise das größte Problem der jüngeren Geschichte Finnlands, die Arbeitslosigkeit, schlagartig lösen.

28

Hermanni Heiskari und Ragnar Lundmark fühlten sich so wohl in der Südsee, dass es Lena Lundmark zu denken gab. Mitte November schickte sie den beiden Kumpanen ein Fax und fragte an, ob sie endgültig im Paradies bleiben wollten. Hatten sie vielleicht vergessen, dass sie Europäer waren? »Es wurmt mich, die ich hier in meiner täglichen Arbeit fast ertrinke, denn doch ein wenig, dass die Herren ohne eigentlichen Grund auf die andere Seite des Erdballs verschwinden und sich nicht mal die Mühe machen, mir korrekt über ihr Tun und Lassen zu berichten.«

Lena Lundmark war gereizt. Die Geschäfte liefen immer schlechter. Sie hatte Aktien ihrer Reederei verkaufen müssen, um ihre Finanzen zu stabilisieren, doch auch davon war der Konzern nicht gesundet, die Krise dauerte an.

»Ich habe auf Kosten der Speditionsfirma einen neuen Heißluftballon angeschafft und damit den alten ersetzt, der auf dem Inarisee verloren ging. Auch der neue trägt wieder das Symbol des Roten Kreuzes. Meine Steuerberater warnten mich und meinten, dass man in der Speditionsbranche nicht unbedingt Heißluftballons braucht. Ich bin jedoch der Meinung, dass es möglich sein muss, jedes beliebige Luftfahrzeug in meiner Firma als Transportmittel zu führen. Wo kommen wir denn da hin, wenn nur Frachtmaschinen abschreibungsfähig sein sollen? Das

Abschreibungsrecht müsste sogar auf Brieftauben ausgeweitet werden, die ich möglicherweise auf meinem nächsten Flug mitnehmen werde, da das Handy verstummt, sobald man in der Luft ist. Die Logistik ist nicht gerade die stärkste Seite der Juristen und der Steuerbeamten.«

An dieser Stelle folgten einige verschlüsselte Zeilen, in denen Lena berichtete, dass sie militärische Anschaffungen für den Volksaufstand getätigt hatte. »Ich habe in England zu einem günstigen Preis zweiundvierzigtausend leichte Sten-Gun-Maschinenpistolen gekauft, außerdem dreißigtausend Kalaschnikows (AK-47) chinesischer Herkunft. Aus Vihtavuori habe ich sechshunderttausend Kilo Amatol und neunhunderttausend Kilo Trotyl besorgt. Von den schwedischen Landstreitkräften habe ich ein Angebot für hunderttausend Infanterieminen eingeholt. Meine Speditionsfirma hat für alle diese Waffen und die Munition die erforderlichen Kauf-, Import- und Exportgenehmigungen besorgt. Sämtliche Bestände sind in geeigneten Lagern an verschiedenen Orten Finnlands untergebracht. Offiziell warten sie dort darauf, exportiert zu werden, aber in Wahrheit stehen sie der Guerillaarmee zur Verfügung, die jederzeit auf sie zurückgreifen kann. Fürs Erste dürften diese Anschaffungen genügen.«

Lenas Gesundheitszustand war inzwischen ausgezeichnet. Ihr Leibarzt, der Orthopäde Seppo Sorjonen, hatte sie gründlich untersucht und festgestellt, dass die Verletzungen von dem Unfall im Frühjahr vollständig verheilt waren, dass die Patientin fit und in so ausgezeichneter Verfassung war, dass sie notfalls heiraten und sogar Kinder bekommen konnte, sofern sich denn ihr Mann auf diese Dinge verstand.

»Sorjonen erzählte übrigens, dass er sein Leben lang von

einer Reise auf die Südseeinseln, vor allem nach Tahiti, geträumt hat, und er beklagte, dass die Geldmittel eines Doktors der Medizin dafür wohl nicht reichen werden.«

Dann verriet Lena noch, dass sie baldmöglichst zu heiraten gedachte, was sie Hermanni hiermit zur Kenntnis geben wollte. Die Hochzeitsreise würde sie gern mit dem Heißluftballon machen. Starten würden sie auf dem Ukonkivi im Inarisee, und an der Stelle, wo der Ballon niederginge, würden sie ihr gemeinsames Heim errichten.

Als Ragnar diese Stelle aus dem Brief laut vorlas, wurde Hermannis Miene ernst. Ein leises Verlangen nach Freiheit zog durchs Gemüt des fliegenden Holzfällers.

Der Brief endete mit dem Wunsch, dass die beiden Gefährten mit der hemmungslosen Verschwendung Schluss machen, in ein billigeres Hotel umziehen und binnen Kurzem nach Europa zurückkehren sollten, wo die Lebenshaltungskosten dann doch niedriger waren als im maßlos teuren Tahiti. Lena erklärte, dass sie Hermanni zwar als Dank für die Rettung ihres Lebens ein Jahr freien Unterhalt ohne Beschränkungen versprochen hatte, aber dieses Versprechen hatte sie im Frühjahr gegeben, als ihre Geschäfte noch gut liefen. Das Leben einer reichen Frau war viel wert, gab Lena zu. Die Belohnung, die sie Hermanni im Frühjahr in Aussicht gestellt hatte, war dem angemessen gewesen. Aber jetzt, da sich das Jahr seinem Ende näherte, hatte sich ihre finanzielle Situation wegen der Schwierigkeiten in ihrer Reederei radikal verschlechtert, und somit war ihr Leben nicht mehr so ungeheuer viel wert wie noch vor einem halben Jahr. Da der Wert ihres Lebens gesunken war, war auch die dafür zu zahlende Belohnung nicht mehr so hoch, fand sie. Diese Tatsache sollten die beiden leichtlebigen Herren gefälligst beachten. Lena schloss ihren

Brief mit dem Wunsch nach Rückkehr der beiden und mit lieben Grüßen an Hermanni wie auch an Ragnar.

Mit ernstem Blick rollte Ragnar das Fax zusammen. Die beiden schwiegen eine Weile. Dann meinte der Oberst: »Um diese Jahreszeit fallen in Finnland Graupelschauer.«

»Ja, genau.«

Ragnar gab zu, dass er im letzten halben Jahr für Hermanni und sich selbst die besten und zugleich auch teuersten Hotels gewählt hatte. Sie hatten die leckersten Delikatessen der Welt genossen. Sie hatten edle Sportarten betrieben, in der Tat. Sie hatten sich unter der Anleitung fähiger Lehrer mit kultivierten Dingen beschäftigt. Sie waren mit den Maschinen der besten Fluggesellschaften geflogen und weit gekommen. All das war Fakt. Lena beklagte nicht zu Unrecht die hohen Ausgaben.

Auch Hermanni musste zugeben, dass man Lena nicht wirklich kleinlich nennen konnte, selbst wenn sie sich über die Kosten aufregte. Zweifellos hatte er in letzter Zeit mehr Geld verbraten als in seinem ganzen bisherigen Leben. Sogar viel mehr, als ein alter fliegender Holzfäller in zwei oder auch drei Leben ausgeben kann.

»Wir müssen wohl nach Europa zurückkehren«, meinte er gedankenverloren, denn immerhin war er der Bräutigam und somit am festesten an Lena gebunden.

»Tja ... Europa. Das ist natürlich auch ein Erdteil«, seufzte Ragnar ohne allzu große Begeisterung.

Hermanni stellte Überlegungen an, welche europäischen Länder besonders preiswert waren, wo der Tourist also am meisten für sein Geld bekäme. Er zählte auf:

»Bulgarien, Rumänien, Polen? Albanien?«

Ragnars Gesicht färbte sich grau. Regenschauer auf einer schmutzigen polnischen Dorfstraße verlockten wahrlich nicht dazu, eine Reise dorthin zu planen. Und auch Hermanni ersparte sich Reklamefloskeln von moderner bulgarischer Architektur oder rumänischer Esskultur. Auch der neue freie Lebensstil in Albanien war beiden kein Anlass zu echter Begeisterung. Von den billigen Ländern Europas kamen eventuell noch die Türkei oder Portugal infrage, für den Fall, dass Lena sie allen Ernstes aus Tahiti zurückbeordern würde.

»Am besten, ich setze mich hin und entwerfe einen Antwortbrief an Lena«, entschied Oberst und Butler Ragnar Lundmark. »Ich kenne nämlich meine Nichte. Sie übertreibt wahrscheinlich bei ihren finanziellen Schwierigkeiten, weil sie Sehnsucht hat und ihren Bräutigam bei sich haben will.«

Ragnar verfasste noch am selben Abend einen sorgfältig formulierten, eindringlichen Brief, den er als Fax nach Maarianhamina schickte.

»Liebe Lena! Ich danke dir sehr für deine sehnsuchtsvollen Worte, die dein Bräutigam und ich lange und andächtig studiert haben. Und so beeilen wir uns, dir gleich zu antworten, damit du dir keine Sorgen um uns machst.

Wir haben also hier auf dieser Insel, die zu Frankreich gehört, fleißig die verschiedensten Kavalierssportarten trainiert. Hermanni Heiskari ist heutzutage bereits ein vollendeter Gentleman. Was das betrifft, könnten wir sehr wohl in billigere Gegenden Europas und später auch nach Finnland zurückkehren. Im Grunde genommen hatten wir uns sogar schon die Tickets für den Rückflug besorgt, als eine überraschende und an sich traurige Wende eintrat. Hoffentlich bist du nicht allzu erschüttert, aber ich muss dir gestehen, dass wir in letzter Zeit nicht ganz gesund waren. Hermanni hat bereits seit einer Woche Fieber, und wir befürchten, dass er an Malaria erkrankt ist. In diesem Zustand kann er auf keinen Fall reisen. Unser hiesiger Arzt hat vorsichtig prognostiziert, dass die Krankheit nach intensiver Chininbehandlung vielleicht innerhalb von drei Wochen oder einem Monat abklingt, sodass wir dann wieder bereit wären, unsere wenigen Sachen zu packen und die Reise nach ursprünglichem Plan fortzusetzen.

Hermannis Erkrankung muss durchaus ernst genommen werden, und leider Gottes hat auch mich ein böses Missgeschick ereilt. Ich habe mir nämlich knapp unterhalb des Knies das linke Bein gebrochen. Das Unglück passierte, als wir in aller Ruhe am Strand entlangritten. Aus irgendeinem unbegreiflichen Grund ging mein Pferd plötzlich durch und warf mich ab mit der Folge, dass ich unsanft im Sand unmittelbar am Wasser landete. Das wäre vielleicht nicht weiter schlimm gewesen, hätte nicht gerade dort die dicke Luftwurzel einer Palme herausgeragt, auf die mein Schienbein mit voller Wucht traf. Ein unangenehmes Knacken war zu hören, und ich lag in vollkommen hilflosem Zustand im feuchten Sand.

Hermanni brachte mich sofort in die Klinik nach Papeete, und jetzt ist mein linkes Bein bis zur Hüfte vergipst. Anhand der Röntgenaufnahmen konnte festgestellt werden, dass sich der Bruch in guter Fixierungslage befindet, aber da es sich um einen großen und tragenden Knochen handelt, muss ich noch reichlich einen Monat in Gips liegen. Das ist sehr beschwerlich, denn das Klima ist feucht und warm und der Heilungsprozess sehr schmerzhaft. Es ist undenkbar für mich, in ein Flugzeug einzusteigen, schon allein deshalb, weil das vergipste Bein auf keinen normalen Flugzeugsitz passt und so viel Platz benötigt, dass allein für mich drei Tickets gelöst werden müssten. Der örtliche

Chirurg hat mich außerdem vor den anderen Gefahren einer langen Flugreise gewarnt. Er hält es für möglich, dass sich im gebrochenen Bein eine Embolie bildet oder dass es im schlimmsten Falle abstirbt. Und das ist vielleicht noch nicht einmal alles.

Aber ich will nicht klagen! Mach dir nur ja keine Sorgen um uns, wir beißen die Zähne zusammen und versuchen unser Bestes. Jetzt beabsichtigen wir, in ein billigeres Quartier umzuziehen. Wir wünschen dir und deinen Geschäften viel Erfolg und werden versuchen, dich über unsere kleinen Wehwehchen auf dem Laufenden zu halten. Dein lieber Onkel Ragnar.«

29

Ragnar Lundmarks betrügerische Botschaft schockierte und ärgerte die Nichte. Die verflixten Kerle hatten sich mal wieder in Schwierigkeiten gebracht, jetzt hockten sie da am Ende der Welt und weinten um Hilfe. Sie hätte die beiden Halunken nie allein so weit weg fahren lassen dürfen. Ein finnischer Mann braucht auf seinen Reisen die Frau und Mutter, die sich um alles kümmert und die Verstand hat. Besorgt schickte Lena Geld nach Tahiti, damit die vom Schicksal gebeutelten aufständischen Guerillaführer sich gesund pflegen lassen konnten.

In Finnland fiel Schneeregen, aber in der Südsee ging der Frühling in den heißen Sommer über, in dem nur der Wind, der vom Ozean her wehte, Kühlung spendete. Die beiden Vagabunden, denen nichts fehlte, nicht mal mehr Geld, hatten es so gut wie nie zuvor. Hermanni sehnte sich zwar nach seiner Verlobten, manchmal sogar sehr, aber er beruhigte sich, wenn Ragnar ihn an die alltägliche Seite der Ehe erinnerte. In dem bald beginnenden Bündnis stünde Hermanni eine bis ans Ende seines Lebens dauernde gemeinsame Wegstrecke mit dieser zielstrebigen Frau bevor. Mindestens zwanzig Jahre Liebe wollten abgearbeitet sein. Dieser Gedanke kühlte die sehnsüchtigen Gefühle so weit herunter, dass sich der Bräutigam wieder auf Segeln, Golf, Kaninchenjagd und Polo konzentrieren konnte. In der letztgenannten Disziplin schlug allerdings Ragnar als Oberst, der er war, stets sämtliche Gegner. In dieser Hinsicht war es ein Glück, dass sein linker Unterschenkel nicht gebrochen war. Ein Einbeiniger spielt kein Polo.

Diese glückseligen Zeiten hätten womöglich fortgedauert, hätte nicht Ragnar Lundmark in seiner Gier der Nichte vorgelogen, dass die Genesung länger dauerte, als angenommen. Er faxte auf die Ålandinseln eine wehleidige Jeremiade, der zufolge sich herausgestellt hatte, dass Hermannis Malaria eine durch Bilharz-Larven verursachte Muskelerkrankung war, und sein eigenes Bein wiederum hatte sich entzündet und musste demnächst operiert werden.

»Somit können wir nicht mehr in diesem Jahr nach Europa zurückkehren, sondern erst in ein, zwei Monaten. Es zerreißt mir das Herz, dir diese Tatsachen erzählen zu müssen, aber wir haben hier in Tahiti niemanden, keinen einzigen Landsmann, dem wir uns anvertrauen könnten, du bist die Einzige, an die wir uns in unserem Kummer wenden können.«

Dieses letzte Fax las er Hermanni nicht vor, sondern erwähnte nur, dass er Lena über die Tatsache unterrichtet habe, dass ihrer beider körperliche Beschwerden die weitere medizinische Behandlung in Tahiti erforderlich machten.

Hoffnungsvoll rechnete Ragnar sich aus, dass sie ihren Urlaub in Tahiti um weitere Monate verlängern könnten. Sein Gewissen protestierte kaum gegen diese Lügen. Eine mögliche Erklärung war, dass sich das Opfer des Betrugs weit weg, auf der anderen Seite des Erdballs, befand, was die Gewissensbisse fast gänzlich verstummen ließ. Vielleicht also machte es die riesige Entfernung zwischen

Täter und Opfer, vielleicht auch der große Zeitunterschied, *jetlag, criminal lag.*

Ragnar hätte nicht zu sehr nach dem Zauber Tahitis gieren dürfen. Lena Lundmark erschrak bis ins tiefste Herz, als sie den jüngsten Bericht ihres Onkels las. Sie rief auf der Stelle ihren Leibarzt Doktor Seppo Sorjonen an. Die aufgeregte Braut bat den Doktor, unverzüglich nach Tahiti zu fliegen und sich um Hermanni Heiskaris und Ragnar Lundmarks Gesundheit zu kümmern. Lena vertraute der polynesisch-französischen Medizinkunst nicht, zumal sich die Beschwerden der beiden Herren trotz eingeleiteter Behandlung nur zu verschlimmern schienen.

Doktor Sorjonen gab zu, dass er stets von einer Reise in die Südsee geträumt hatte, nur leider hatte er bereits zugesagt, in zwei Wochen auf dem internationalen Orthopädenkongress in Lissabon einen Vortrag zu halten. Er hatte also nicht die Zeit, ein anspruchsvolles Referat vorzubereiten und gleichzeitig auf die andere Seite des Erdballs zu reisen, um eine Unterschenkeloperation zu überwachen und sich um die Bilharziose eines fliegenden Holzfällers zu kümmern. Die Berufsbezeichnung des Letzteren nannte er freilich nicht laut. Er forderte Frau Lundmark auf, sich an einen willigeren Kollegen zu wenden. Es gab ja sogar unter den Arbeitslosen Ärzte.

»Aber Sie sind nun mal in meinen Augen der beste Orthopäde der Welt«, seufzte Lena.

Doktor Sorjonen musste zugeben, dass seine Patientin recht hatte. Und außerdem, eine überraschende Reise nach Tahiti würde ihm bestimmt nicht schaden. Sie vereinbarten, dass der Doktor das Material seines Vortrags mitnehmen und gleich am nächsten Morgen auf die andere Seite des Erdballs fliegen würde.

Womöglich erkältete sich Doktor Sorjonen in Singapur, als er dort zu nächtlicher Stunde umherstreifte, denn als er vierundzwanzig Stunden später und nach vielen Zwischenlandungen in Tahiti ankam, hatte er hohes Fieber, vor seinen Augen tanzten Sterne, die Glieder schmerzten gnadenlos, und sein Atem rasselte wie der eines Sterbenden. Zum Glück konnte er sich als Fachmann selbst verarzten, auch war er ja ohnehin auf dem Weg ins Krankenhaus. Mit dem Blumenkranz um den Hals bestieg er auf dem Flugplatz ein Taxi und fuhr im Gewitterregen in die Stadt. Der Donner grollte und Blitze zuckten, sowohl draußen als auch im Schädel des Doktors.

Im Krankenhaus von Papeete gab es keine finnischen Patienten. Äußerst merkwürdig, dachte Sorjonen in seinem Fieber. Waren die beiden inzwischen gestorben? Es gab in der Stadt noch eine zweite Klinik, eine private, aber auch dort kannte man die Messieurs Lundmark und Heiskari nicht, und sie hatten sich dort auch nie aufgehalten. Blieb noch das französische Marinehospital, in das sich Sorjonen mit letzter Kraft schleppte. Auch hier hatte man weder einen finnischen Oberst noch seinen Begleiter als Patienten ... böse Geschichte.

Der französische Oberstabsarzt, mit dem Sorjonen in der Sache sprach, schlug ihm vor, gleich selbst zur Behandlung dazubleiben. So schickte man ihn also unter die Dusche, brachte ihn anschließend in einem Privatzimmer für zwei Personen unter, und kurz darauf war auch schon der Tropf angeschlossen. Erschöpft schlief der Doktor mit dem Gedanken ein, dass er seinen Auftrag schlecht erledigt hatte, da er seine beiden in Not geratenen Landsleute nicht hatte finden können.

In den frühen Morgenstunden wurde ein zweiter Patient

ins Zimmer gebracht, ein junger und aufgeregter neuseeländischer Seemann, der in sehr schlechter Verfassung war, er war über und über mit schwarzem Öl beschmiert und brabbelte die ganze Zeit eine unverständliche Geschichte von Zigtausend Schafen, die im Ozean ertrunken waren. Sorjonen glaubte zunächst, Fieberträume zu haben, aber als der Bursche seine Geschichte wieder und wieder erzählte, musste er notgedrungen aufwachen. Mit dem Schlaf war es für diese Nacht vorbei. Gegen fünf Uhr erschien ein Sanitäter der französischen Marine, um den Körper des brabbelnden Patienten von der Ölschicht zu befreien. Ein strenger Geruch nach Lösungsmitteln und schwerem Heizöl verbreitete sich im Raum.

Doktor Sorjonen gewann den Eindruck, dass besagter Patient vor einiger Zeit auf einem philippinischen Viehtransportschiff als Decksmann angeheuert hatte. In Auckland war das Schiff mit achtzigtausend Schlachtlämmern beladen worden, die nach Jordanien gebracht werden sollten. Nach zweitägiger Fahrt war das Schiff schon mitten im Stillen Ozean gewesen, und alles hatte bis dahin gut geklappt, lediglich zweihundert Schafe waren in den Verschlägen eingegangen. Die Kadaver hatte man ohne viel Federlesens über Bord geworfen. Dann war im Maschinenraum ein Feuer ausgebrochen, und viele philippinische Maschinisten waren im siedenden Öl verbrutzelt.

Der Rest der Mannschaft hatte eine Weile überlegt, was mit den armen Viechern zu tun sei. Der Kapitän hatte erklärt, dass Schafe seines Wissens nicht schwimmen konnten, auf jeden Fall aber nicht in der Lage wären, Tausende Kilometer bis ans Festland zu paddeln. Und sie zu töten war ein hoffnungsloses Unterfangen, es gab nicht genügend Beile oder Pistolen, auch war nicht die Zeit, auf einem brennenden Schiff achtzigtausend Schafe zu schlachten. Nichts zu machen, jetzt ging es um das Leben der Mannschaft, sie musste das Schiff verlassen.

Jener Patient in Sorjonens Nachbarbett hatte immerhin noch aus Barmherzigkeit hundert Schafe geschlachtet, ehe auch er einsehen musste, dass sein eigenes Leben wichtiger war als das Schicksal der Schafe. Das Schiff hatte bereits starke Schlagseite gehabt, und so war er am Fallreep hinuntergeklettert, um sich schwimmend zu retten, und im Meer hatte er sich dann über und über mit Öl beschmiert. Sechzehn Stunden später hatte ein indisches Frachtschiff die Mannschaft aufgenommen. Ein Teil der Leute war anschließend zur medizinischen Behandlung auf die Cookinsel Rarotonga geflogen worden, einzig ihn, den Neuseeländer, hatte eine Maschine der französischen Luftwaffe an Bord genommen.

Um den Mann zu beruhigen, erzählte Doktor Sorjonen ihm seine eigene Geschichte, die kürzer und nicht ganz so dramatisch war. Gemeinsam kamen sie zu dem Schluss, dass ein tüchtiger Drink guttäte, wenn nur erst der Morgen käme. Der schwer gebeutelte Seemann wurde allerdings noch vor dem Morgen zu weiteren Untersuchungen abgeholt.

Alarmiert durch ein Fax von Lena, begaben sich Hermanni und Ragnar am nächsten Morgen ängstlich zum Flugplatz, um Sorjonen abzuholen, aber er tauchte nicht auf. War der Doktor vielleicht schon vergangene Nacht angekommen, als eine frühere Maschine aus Südostasien gelandet war? So blieb ihnen nichts weiter übrig, als die Kliniken von Papeete zu durchkämmen. Sie fragten im allgemeinen örtlichen Krankenhaus, ob ein Finne dort aufgetaucht sei. Nein, aber es war jemand gekommen und hatte nach

Finnen gefragt. Auch im Privatkrankenhaus hatte man Sorjonen nicht gesehen, das Personal fragte allerdings verwundert, was die Finnen eigentlich für Leute waren, da sie sich gegenseitig in Krankenhäusern suchten. War es in Finnland üblich, sich in Kliniken zu verabreden?

Im Hospital der französischen Marine wurden sie fündig, Doktor Seppo Sorjonen lag allein für sich in einem Zimmer, schläfrig und an den Tropf angeschlossen. Auf dem Nachtschrank stand ein französisches Frühstück bereit: Kaffee und Croissants sowie ein Glas Calvados. Der Mann, der da im Bett lag, war in den Vierzigern, er hatte blondes Haar und einen blonden Bart und sah so finnisch aus, dass Hermanni Heiskari ihm ohne zu zögern die Hand reichte und fragte:

»Doktor Sorjonen, nehme ich an?«

30

Am nächsten Tag war Doktor Seppo Sorjonen so weit von seinem Reisefieber genesen, dass man ihn zu Hermanni Heiskari und Ragnar Lundmark ins Hotel entlassen konnte. Nun galt es, die Situation zu erörtern.

Sorjonen war äußerst verwundert, dass beide Reisende munter wie die Fische im Wasser waren. Benommen aber hatten sie sich wohl eher wie Esel, ohne dass er damit irgendetwas gegen Esel sagen wollte. Ragnars Bein war nicht gebrochen, war es nie gewesen, und Hermanni litt garantiert unter keinen körperlichen Beschwerden. Beider Gesundheit war, abgesehen von einer leicht geschwollenen Leber, ausgezeichnet, resümierte Sorjonen nach einer kurzen Untersuchung.

Die Vagabunden mussten bekennen, dass sie, gelinde gesagt, allzu pessimistische Informationen über ihren Gesundheitszustand ins Heimatland und an Lena Lundmark geschickt hatten. Sie litten tatsächlich an keiner Krankheit, wenn man Fernweh nicht mitrechnete.

Obwohl Seppo Sorjonen ein Mann von Format war und für gewöhnlich mit seinen Nächsten keinen Streit suchte, konnte er Hermannis und auch Ragnars Verhalten nicht billigen. Als die beiden ihn dann auch noch baten, ihren Betrug nicht publik zu machen, sondern Lena mitzuteilen, dass die »Patienten« vorerst in Tahiti bleiben müssten, konnte er nicht umhin zu erklären, dass all dies grob gegen die ärztliche Ethik verstieß.

Sorjonen erkundigte sich, wie die beiden Kumpane auf die Idee gekommen waren, sich diese Suppe einzubrocken. Jetzt mischte sich Ragnar in die ethischen Überlegungen ein und erklärte, dass weder er noch Hermanni einen finnischen Arzt oder andere Finnen nach Tahiti gerufen hatten, sondern Lena hatte aus eigenem Antrieb und in der bekannten Art hysterischer Weiber Sorjonen, der ja sowieso nach Lissabon wollte, um einen Vortrag zu halten, auf die Reise geschickt. Außerdem, was war verkehrt an Tahiti? Dieser kleine Ausflug in die Südsee würde dem Doktor bestimmt nicht schaden, zumal er sich beim Verlassen des schmutzigen Finnland eine Grippe eingehandelt hatte, die sich womöglich durch den Kontakt mit Südostasiens Schankergeschwüren weiter verschlimmert hatte.

Nun fing Hermanni Heiskari seinerseits an, über die Vorteile nicht vorhandener Krankheiten zu philosophieren. Sie besserten sich von allein! Seiner Meinung nach gab es eigentlich gar kein ethisches Problem, weil es ja auch keine Krankheiten gab. Sorjonen könnte ihnen ein Attest ausstellen oder sie vielmehr gesundschreiben mit dem Vermerk, dass beide einigermaßen okay waren, Bilharz hatte sich als Einbildung erwiesen, und auch das gebrochene Bein war fester denn je. Aber dennoch benötigten die Patienten eine Rekonvaleszenzzeit, wenn nicht auf Tahiti, dann doch zumindest in Portugal. Mit anderen Worten, da beide auf dem Wege der Besserung waren, bedurfte es keiner Lügen mehr.

Sorjonen war noch so erschöpft von der langen Reise und dem hohen Fieber, dass er beschloss, auf weitere ethische Erörterungen und moralische Verurteilungen zu verzichten. Aus Dankbarkeit erbot sich Hermanni, dem Doktor als Sekretär zur Verfügung zu stehen und seinen Vortrag ins Reine zu schreiben, Sorjonen selbst könnte im klimatisierten Hotelzimmer liegen und Kräfte sammeln, lediglich morgens müsste er die am Vortag geschriebenen Seiten durchsehen und seinem Holzfällersekretär die erforderlichen Ergänzungen und Änderungen diktieren.

Hermanni erklärte, dass er von Kindheit an ein Mann der Feder gewesen sei, aber er könne natürlich keinen Vortrag über Orthopädie selber verfassen, da er kein Arzt sei und über das menschliche Skelett nichts weiter wisse, als dass Knochen Unheil verkündend knackten, wenn sie brachen.

»Aber selbst als Laie kann ich immerhin so viel sagen, dass hier auf Tahiti sogar das Schienbein eines alten Homos innerhalb weniger Tage geheilt ist, ohne dass die geringste Spur zurückgeblieben wäre«, erklärte er mit einem Grinsen in Ragnars Richtung.

Doktor Sorjonen schickte per Fax einen kurzen Bericht an Lena Lundmark nach Maarianhamina. Er teilte ihr mit, dass sich der Gesundheitszustand der beiden Herren so weit gebessert hatte, dass sie unter Aufsicht ihres Arztes nach Portugal reisen konnten.

Sorjonen wünschte einen Blick auf ihre Aufstandspläne zu werfen. Der Krieg als solcher interessierte ihn nicht, wohl aber die Verhinderung eines damit verbundenen Blutvergießens und die Organisation entsprechender Rettungsmaßnahmen.

Hermanni Heiskari und Ragnar Lundmark fragten verwundert, wie er von ihrem Projekt erfahren hatte. Hatte Lena Außenstehende in dieses äußerst geheime Vorhaben eingeweiht?

Doktor Sorjonen erklärte, dass er von dem Plan eines Aufstandes der Arbeitslosen bereits im Sommer erfahren hatte,
als er Lena Lundmark nach ihrem spektakulären Ballonun-
fall behandelte. Die Patientin hatte ihren Leibarzt gefragt,
wie sie sich zu einem Mann verhalten sollte, der womöglich demnächst einen blutigen Bürgerkrieg vom Zaune
brechen würde. War es angebracht, mit so jemandem die
Ehe zu schließen? Darauf hatte Sorjonen als Orthopäde
keine abschließende Antwort geben mögen, er hatte nur
erklärt, dass Kriegsverletzungen zwar sein Metier waren,
ganz allgemein gesehen, dass aber sämtliche vor einem
Krieg auftauchenden Fragen eine Sache für sich waren und
eher in das Gebiet der Politik und der Psychiatrie fielen. In
den Gesprächen hatte sich herauskristallisiert, wie sich
das Projekt darstellte, in das Lena durch ihren Hermanni
hineingezogen worden war. Es war ebenfalls zur Sprache
gekommen, dass Hermanni Heiskari ein alter fliegender
Holzfäller war, arm und wohnungslos, aber sonst recht
anständig. Auch zu dieser Bemerkung hatte Sorjonen, wie
er sagte, keinerlei Stellung genommen, da er Orthopäde
war und sich mit Charakter und Lebensstil von Vagabunden nicht näher auskannte.

Da sie nun so gute Freunde geworden waren, baten Hermanni und Ragnar, dass sich Doktor Sorjonen als medi-
zinischer Experte am Projekt beteiligen möge. Das hätte
beinah wieder zu einem ethischen Problem geführt, denn
im Allgemeinen schützen Ärzte das Leben und schüren
keine Kriege, und sie verabscheuen das Töten. Aber als
Hermanni darauf hinwies, dass es hier lediglich um die
medizinische Betreuung während des Krieges ging, um die
Versorgung der Verwundeten, die ja auch das Rote Kreuz
normalerweise in Krisengebieten übernahm, konnte Sor-

jonen natürlich den Gedanken akzeptieren. Nach seinen Worten ließe sich, wenn man die medizinische Versorgung sachkundig im Voraus und nach den ethischen Normen des Roten Kreuzes plante, das Leben vieler unschuldiger Menschen retten und ließen sich Verwundete, sowohl Unbeteiligte als auch aktive Kämpfer, heilen. Er versprach, fundierte Pläne für ein entsprechendes Netz von Feldlazaretten zu erstellen.

Die abschließende Phase des Aufenthaltes gestaltete sich höchst angenehm. Hermanni schrieb Seppo Sorjonens Vortrag über Rückenerkrankungen ins Reine, ergänzte ihn mit eigenen Beobachtungen und behandelte das Thema überhaupt weit literarischer, als es Sorjonen zu tun gewagt hätte. Er fügte dem Vortrag sogar aus eigenem Antrieb ein Fallbeispiel hinzu, das von der medizinischen Kunst des Schmucken Jussi (John the Handsome) handelte.

Draußen in den Wäldern hatte es Probleme mit einem Holzfäller gegeben, der über Rückenschmerzen geklagt hatte. Die Chefs hatten ihn für einen Drückeberger gehalten und ihn aufgefordert, sich an seine Arbeit zu scheren, andernfalls würden sie einen anderen Interessenten an seine Stelle setzen. Der Schmucke Jussi hatte sich des Mannes angenommen, hatte rechts unten auf seinen Bauch gedrückt, worauf der Ärmste schrecklich gestöhnt hatte.

»Eindeutig Blinddarmentzündung«, hatte Jussi gesagt.

Bis zum nächsten Krankenhaus waren es zweihundert Kilometer gewesen, der erste Teil der Strecke unwegsames Gelände. Jussi war nichts weiter übrig geblieben, als zur Motorsäge zu greifen und dem Patienten den Bauch aufzuritzen. Mit der Zange hatte er den dicken Wurmfortsatz, der kurz vorm Platzen gewesen war, abgeknipst und anschließend die Operation mit Eisengarn vollendet. Auf diese Weise war der Holzfäller auch seine Rückenschmerzen los gewesen.

Das Ergebnis von Hermannis Mühen war ein flotter schriftlicher Vortrag, und als der dann noch mit Ragnars Hilfe ins Englische übersetzt worden war, konnten sich die Herren anderen Dingen zuwenden. Das bedeutete, dass sie vormittags gemeinsam den Volksaufstand planten, die Siesta damit verbrachten, im Swimmingpool zu liegen oder in der Lagune herumzuplanschen, und wenn es zum Abend hin kühler wurde, fuhren sie aufs Meer hinaus oder machten eine Reittour.

Dann aber näherte sich der Tag, da Doktor Sorjonen seinen Vortrag in Lissabon halten sollte, und so besorgten sie sich Tickets und flogen zurück nach Europa.

Vierter Teil

31

Im Hotel *Diplomatic* in Lissabon entwickelte Doktor Seppo
Sorjonen, basierend auf seinen Erfahrungen als Berater des
Roten Kreuzes, einen Plan zur Versorgung der Verwunde-
ten und Bestattung der Toten während des Volksaufstandes.
Er teilte das Land in zwölf Militärdistrikte ein und plat-
zierte in jedem ein mobiles Feldlazarett. Zur Versorgung
der Lazarette plante er sechs Zentraldepots, und bei diesen
Depots siedelte er Zentren an, deren Aufgabe es war, sich
um die Gefallenen und Schwerverwundeten zu kümmern.
Über die Depots stellte er sachkundig zwei Hauptdepots,
auf die sich das ganze System stützte. Sie standen unter der
Aufsicht der obersten Kriegsleitung, und verantwortlich
war die Speditionsfirma Lundmark.
Zusätzlich zu den Feldlazaretten plante Sorjonen sechs-
unddreißig Verbandsplätze, die sich rasch von einem Ort
zum anderen verlegen ließen und die speziell während der
Kämpfe zum Einsatz kämen. Er schlug vor, dass mit Beginn
der Kämpfe beim medizinischen Personal nicht nur Sanitäter der Reserve, sondern auch Arbeitslose, die einen
Erste-Hilfe-Kurs des Roten Kreuzes absolviert hatten, eingesetzt würden.
Als Ausstattung für ein Feldlazarett waren laut Sorjonen
dreißig Kisten erforderlich, jeweils von zwei Mann zu
tragen, deren Inhalt das Rote Kreuz im Laufe von jahr-

zehntelangen Erfahrungen festgelegt hatte. In jeder befand sich eine komplette Behandlungseinheit – in einer Kiste die Apparaturen für den Operationssaal, in der zweiten die Instrumente des Chirurgen, in der dritten sämtliches Zubehör für die Versorgung von Wunden, in der vierten ein Wasserdestillator, in der fünften alles, was für Bluttransfusionen gebraucht wurde und so weiter. Die Kisten wogen je fünfzig Kilo. Sie waren aus formgepresstem Aluminium hergestellt und wenig größer als gewöhnliche Koffer.

Für die orthopädische Ausstattung zum Beispiel plante Sorjonen die Operationsmesser Nummer 10 und 15, eine kürzere und eine längere Schere, beide vom Typ Metzenbaum, sowie eine noch kleinere und dünnere Schere der Marke Mayo. Drei verschiedene Fasszangen gab es in diesem Paket, ferner die volle Fünferserie Punktionsnadeln, zwei Klemmchen, eine Peang und eine Kocherklammer, zwei Operationsinstrumente, benannt nach diesen beiden berühmten Chirurgen.

Zum Inhalt gehörte ferner eine komplette Faltpackung mit Schrauben, Nägeln und Platten zum Zusammenfügen von Knochenbrüchen. Besonders wichtig für Kriegsbedingungen war der sogenannte Fixateur Extern, ein äußeres Fixierungsgerät, mit dessen Hilfe sich Schwerstverletzte besser zur weiteren Behandlung ins Militärhospital transportieren ließen.

In denselben Koffer gehörten noch die Darmzange, das Mayo-Robson-Instrument, Gefäßklammern, ein Schädelbohrer der kleineren Größe sowie Kochers und Doyens Knochensägen. Und natürlich das Sauerbruch-Rohr, um in Enddärme und Lungen zu blicken. Saugschläuche zur Beseitigung von Blut und Eiter und die zur Reinigung von inneren Hohlräumen gebräuchliche »Gummiente« mit Unterdruck waren ebenfalls Bestandteile des chirurgischen Koffers.

Im Allgemeinen passte so ein Feldlazarett auf zwei Geländetraktoren, und wie bereits erwähnt, ließ es sich zur Not auch an den gewünschten Ort tragen.

Sorjonen berücksichtigte, dass die Feldlazarette unter Sommer- wie auch Winterbedingungen benötigt würden. Er empfahl, sie zur Winterzeit an einer geschützten Stelle unterzubringen, an der sauberes Wasser zur Verfügung stand, an der die Verwundeten, die auf ihre Behandlung warteten, aber nicht im Schneetreiben frieren müssten. Im Sommer wiederum sollten sich die Lazarette ebenfalls an einer guten Wasserquelle befinden, aber im offenen Gelände, damit Mücken und Bremsen den Ärzten und Pflegern, die ohnehin unter beengten Bedingungen arbeiteten, vor allem aber den im Sterben liegenden Patienten nicht zu sehr zusetzten.

Doktor Sorjonen vermutete, dass nach Ausbruch des Krieges auch das Rote Kreuz auf eigene Initiative den streitenden Parteien mehrere solcher medizinischen Einheiten zur Verfügung stellen würde. Hier sollten die Führer des Volksaufstandes jedoch Vorsicht walten lassen, denn womöglich würde die finnische Armee das Pflegepersonal des Roten Kreuzes infiltrieren, um auf diesem Wege die Standorte der Guerillalazarette zu ermitteln. Vor allem aus diesem Grunde sollte auf ständige Mobilität geachtet werden, so betonte er.

Für die Identifizierung und die Bestattung der Gefallenen sowie die Bestattungszeremonien formulierte Sorjonen gesonderte Vorschriften, aus denen die folgenden Beispiele genannt seien:

Als Erstes galt es, die Körper sämtlicher im Kampf oder auch in kleineren Scharmützeln gefallener Personen in einer Kampfpause sofort zu identifizieren und mit einem Namensschild zu kennzeichnen, das am rechten großen Zeh befestigt werden sollte und das am besten aus Aluminium bestand, aber auch Sperrholz war möglich. Zum anderen sollte auch die Bestattung im Felde stets unter Achtung der Menschenwürde erfolgen, unabhängig davon, ob es sich um einen Guerillakämpfer oder einen Soldaten der regulären Armee handelte. Falls möglich, sollte jeder Tote einen eigenen Sarg bekommen. Sollte sich dies unter Einödbedingungen und während der Kämpfe nicht realisieren lassen, musste man sich gegebenenfalls mit einer Bestattung im Steinbett begnügen, wobei der Leichnam, oder im Falle von Massenbegräbnissen die Leichen, in eine Zeltplane oder noch besser in eine ölgetränkte Persenning eingerollt werden sollten. Das Letztere im Hinblick auf ein späteres Heldenbegräbnis.

Was Blutplasma anbetraf, so rechnete Sorjonen im Sommer während der heißesten Kämpfe mit einem Bedarf von mindestens zweitausend Litern pro Woche, im Winter mit zwölfhundert Litern, wenn der Winter aber mild wäre, käme man auf tausendsiebenhundert Liter pro Woche.

Während Sorjonen diese fundierten Pläne erstellte, rechneten Hermanni und Ragnar aus, wie viel in Finnland während des Krieges und vor allem nach seinem Ende geweint würde, also wie viele Liter Tränen der Guerillakrieg verursachen würde.

»Nehmen wir als Maßeinheit einen Esslöffel«, entschied Hermanni.

Der Kellner des Restaurants brachte einen silbernen Esslöffel, einen Messbecher und eine Kanne mit Wasser. Hermanni bat Ragnar, einen Löffel voll zu weinen, damit sie die Menge messen und in Deziliter umwandeln konnten.

Ragnars falsche Knochenschmerzen halfen auf erfreuliche Weise bei dem Vorhaben, und innerhalb von fünfzehn Minuten hatte er den Esslöffel bis zum Rand mit Tränen gefüllt. Hermanni goss die Brühe in den Messbecher und markierte die Menge außen mit einem Strich.

»Mehr kommen nicht?«

Da Ragnar sich keine weiteren Tränen abquetschen konnte, löffelte Hermanni aus der Kanne Wasser in den Becher und kam auf sechzig Esslöffel pro halbem Liter. Nun wurde der Taschenrechner gezückt, und das Ergebnis lautete:

60 Esslöffel = ein halber Liter oder 120/Liter.

Annahme: Jede trauernde Witwe, Waise oder trauernde/r Angehörige/r weint täglich mehrere Esslöffel voll, nämlich

20 Esslöffel pro Woche,

so macht das in sechs Wochen einen ganzen Liter,

im Jahr 8,3333 Liter,

und das wiederum bedeutet im Falle, dass mindestens 40 000 Menschen wegen der Ereignisse des Guerillakrieges weinen und die Jahresproduktion eines jeden etwa 8,3333 Liter Tränen beträgt,

ein Gesamtaufkommen von 332 000 Litern Tränen,

innerhalb von zehn Jahren, unter Berücksichtigung der heilenden Wirkung der Zeit, ergibt das etwa 2700 Tonnen an reinen Tränen.

Die Witwen hätten einen Anteil von siebzig Prozent an der Tränenmenge, die Veteranen zehn Prozent und die Waisen die restlichen zwanzig Prozent.

Doktor Sorjonen prüfte die Ergebnisse nach und berechnete bei der Gelegenheit gleich noch den Salzgehalt der

Tränen, dabei kam er auf eine Menge von 500 Kilo reinem Salz direkt aus dem Herzen des finnischen Volkes.

»Die Kosten fürs Polieren der Steine der Heldendenkmäler rechnen wir wohl noch nicht aus?«, fragte Ragnar.

»Doch, das machen wir auch«, entschied Hermanni und kam alsbald zu dem Ergebnis, dass die Kosten bei Marmor zweiundzwanzig Millionen betragen würden. Sollten die Denkmäler allerdings aus Granit errichtet werden, läge der Preis erheblich höher, dann käme man nämlich auf eine Gesamtsumme von etwa siebenunddreißig Millionen.

32

Ragnar Lundmark stellte ein Portugal-Programm zusammen. Seiner Meinung nach hatte sich Hermanni Heiskari die Manieren eines Gentlemans vollständig zu eigen gemacht und benötigte keine weitere Ausbildung auf diesem Gebiet. Zeit also für die Phase der praktischen Anwendung. Sie würden durchs Land reisen und gentlemanlike leben. Wohnen und speisen würden sie in sogenannten Pousadas, vom Staat unterhaltene Luxushotels. Diese befanden sich in alten Königsschlössern, Klöstern oder prunkvollen Adelssitzen. Ragnar buchte im Reisebüro eine ausgiebige Rundtour durch die Provinz und informierte natürlich auch seine Nichte Lena Lundmark in Maarianhamina über das Vorhaben.

Lena faxte umgehend zurück, dass der Gedanke an eine Rundreise durch Portugal, von Kloster zu Kloster und von Schloss zu Schloss, auch ihr so gut gefiel, dass sie sich anzuschließen gedachte. Sie berichtete, dass sie die Aktien ihrer Reederei realisiert und so die letzten Reste ihres Vermögens gerettet hatte. Die Speditionsfirma hatte neuerdings eine eigene Verwaltung, sodass sie, Lena, ungebunden war und ebenfalls in der Welt herumreisen konnte. Außerdem wollte sie gern mit Hermanni das Hochzeitsarrangement persönlich besprechen, sofern er denn noch zu der Sache stand.

Hermanni fand diese Lösung hervorragend, hatte er doch schon länger Sehnsucht nach seiner Braut. Es ist nun mal so, dass nicht mal ein fliegender Holzfäller auf lange Sicht ohne eine Frau an seiner Seite sein mag. Da hilft es auch nicht, wenn er einen fachkundigen Butler, einen alten Schwulen im Rang eines Oberst, bei sich hat.

Ragnar war bestürzt über Lenas Absichten. Als Hermanni sich darüber verwundert zeigte, knurrte der Oberst:

»Hast du vergessen, dass mein linkes Schienbein gebrochen sein müsste?«

Zweifellos würde Ragnars Bein zu einem Problem werden, da es nicht gebrochen und nicht mal eingegipst war. Lena würde eventuell ein höllisches Theater machen, wenn sie bemerkte, dass sie getäuscht worden war. Also musste rasch eine Lösung her, denn Lena hatte mitgeteilt, dass sie in zwei, drei Tagen in Lissabon eintreffen würde.

»Vielleicht sollte ich dein Bein durchbrechen«, bot Hermanni sich bereitwillig an, aber Ragnar fand das gar nicht lustig. Dann kamen sie auf die Idee, dass Doktor Sorjonen das Bein eingipsen könnte, für ihn, den erfahrenen Orthopäden, wäre das ein Kinderspiel. Lena würde den Betrug nicht merken, und die Männer brauchten keine Rache zu befürchten.

Am Abend, als Sorjonen von seiner Konferenz ins Hotel zurückkam, erzählten sie ihm, dass Lena Lundmark nach Portugal kommen wollte und es gäbe eine Katastrophe, wenn Ragnars Schwindel auffliegen würde. Die beiden konfrontierten den Doktor mit ihrem Rettungsplan: Wie wäre es, wenn er Ragnars Bein eingipste?

Darauf sagte Sorjonen, dass er bisher noch nie in die Verlegenheit gekommen war, nicht vorhandene Krankheiten zu heilen oder heile Gliedmaßen in Gips zu gießen, aber da er sich bereits in Tahiti auf den Schwindel der beiden eingelassen hatte, musste er wohl den Weg bis zu Ende gehen. Er notierte auf einem Zettel das erforderliche Zubehör – nicht ohne die Krücken zu vergessen – und schickte die beiden in die Apotheke. Dort kauften der Patient und sein Kumpan eine beträchtliche Menge Gips, Verbände und anderes, holten aus einem Geschäft für orthopädischen Bedarf vernickelte Krücken und begaben sich wieder ins Hotel und in Doktor Sorjonens Sprechstunde.

Der Doktor wies Ragnar an, die Hose auszuziehen und sich mit dem Rasierapparat die Wade zu rasieren. Eine Weile überlegten sie, welchen Unterschenkel er sich damals in Tahiti gebrochen hatte. Sie wählten den linken, ja, der war es gewesen. Sorjonen zog zunächst einen elastischen Strumpf über das Bein, befeuchtete die Gipsrollen und produzierte eine gewaltige Röhre, die von der Hüfte bis zu den Zehen reichte. Er verpackte das Bein zu einem dicken, unförmigen Klumpen, so wurde sichergestellt, dass der Knochen wieder richtig zusammenwuchs, erklärte er. Bei derart ernsten Frakturen durfte man nicht pfuschen, es war wichtig, die Verletzung richtig zu behandeln, zumal es sich um einen älteren Patienten handelte.

Hermanni Heiskari war derselben Meinung. Obwohl Ragnar an dem Gips wahrscheinlich schwer zu schleppen hätte, dürfte er nicht klagen.

»Die Gesundheit geht vor.«

Doktor Sorjonen erklärte, dass der Gips innerhalb einer halben Stunde trocknen würde, und danach dürfte Ragnar sich wieder bewegen. Als Sorjonen gegangen war, um auf der Konferenz seinen Vortrag zu halten, fing Ragnar an, mit den Krücken zu üben. Es war äußerst beschwerlich und wollte im Gedränge auf den Lissabonner Straßen nicht so recht klappen. So stieg er mit Hermanni denn am Nachmittag in den Bus, und gemeinsam fuhren sie in den am Nordrand der Stadt gelegenen weitläufigen Park, der dem Marquis Pombal gewidmet war und in dem Ragnar genug Platz hatte, die Rolle des Invaliden zu üben.

Auf dem Sportplatz am anderen Ende des großen Geländes wurde gerade mit viel Getöse ein chinesischer Zirkus aufgebaut, dort standen Trucks und Wohnwagen und viele riesige Zelte.

Hermanni vermutete, dass die auftretenden Künstler nicht wirklich Chinesen waren, aber auf entsprechende Nachfrage hieß es, doch, das seien sie, sie stammten ursprünglich aus Macao, das nach wie vor eine portugiesische Kolonie war und weit weg an der chinesischen Küste, am Gelben Meer, lag. Die Zirkusleute sprachen Portugiesisch, beherrschten aber auch Englisch.

Ragnar erzählte ihnen, dass er einst als Kind in Tammisaari beim Aufbau von Zirkuszelten geholfen habe, aber jetzt sei ihm das nicht möglich, da er sich das linke Schienbein gebrochen habe.

Neben dem Zirkus stand ein Restaurantpavillon, in dem Fischgerichte angeboten wurden. Vor den Gehübungen genossen die beiden Männer eine Hummermahlzeit, dazu wählte Ragnar einen portugiesischen Vinho Verde, einen grünen Wein. Er wusste zu berichten, dass eben dieser frische Wein eigentlich eine Art Champagner des einfachen Mannes war und nur in Portugal hergestellt wurde. Den spritzigen Säuregeschmack erreichte man, indem man die Trauben halb reif erntete, sodass sie beim Gärungsprozess mehr Kohlensäure als üblich entwickelten.

Bis zum Einbruch der Dunkelheit lernte Ragnar mit seinen Krücken einigermaßen zügig zu gehen. Die beiden hatten dem Vinho Verde so reichlich zugesprochen, dass der betagte Patient ohne seine Krücken vermutlich hingefallen wäre.

In den Zelten des chinesischen Zirkus wurden farbige Lichter angeknipst, und auch die Laternen im Park begannen die schöne Anlage zu beleuchten. Die beiden Gefährten wankten aufs Zirkusgelände. Die Chinesen reagierten freundlich. Hier und dort werkelten Arbeiter herum, legten letzte Hand an die Aufbauten, strafften Seile und Trossen, verteilten Sägemehl auf dem Boden der runden Manege. Ragnar und Hermanni saßen im Zuschauerraum und verfolgten die Proben des Orchesters. Hoch oben unter der Kuppel blinkten die dicken Seile und zwei Trapezbretter. Ragnar erzählte, dass sein Großvater einst aufgrund einer Wette auf ein Zirkustrapez geklettert war und beim anschließenden Sprung aufs Trampolin zwei Salti gemacht hatte. Er hatte die Wette gewonnen.

Die Musiker packten ihre Instrumente ein und begaben sich zur Nachtruhe in ihre Wohnwagen. Hermanni und Ragnar blieben allein in dem riesigen Zelt zurück. Vielleicht war es die Wirkung des Vinho Verde, jedenfalls kam Hermanni jetzt auf die Idee, aufs Trapez zu klettern. Das ging auch ganz flott, obwohl der Holzfäller im chinesischen Zirkus Debütant war. Hermanni stellte sich aufs Brett, stieß sich ab und schaukelte nach Herzenslust.

Ragnar konnte der Versuchung nicht widerstehen, er humpelte zum zweiten Trapez, ließ die Krücken fallen und kletterte ebenfalls hinauf. Es war recht mühevoll, der schwere und steife Gips erschwerte die Zirkusambitionen des Mannes, aber obwohl er betagt und schwer invalidisiert war, schaffte er es. Er gelangte nach oben bis auf die höchste Ebene und begann zu schaukeln wie Hermanni. Sie holten

246

beide gleichzeitig Schwung und pendelten durch die Luft wie die Profis.

War das lustig! Der leere Zuschauerraum flimmerte vorbei, wenn die beiden kühnen und eifrigen Mannsbilder hoch oben unter der Zirkuskuppel hin und her schwangen. Sie bedauerten, dass das Orchester schon weg war, nun mussten sie selbst den Takt und die Hintergrundmusik johlen. Ragnar war so fasziniert von den herrlichen Luftschwüngen, dass er beschloss, auch eine Fahrt zu wagen und sich zu Hermannis Trapez hinüberzuwerfen, wie es die richtigen Akrobaten machten. Die beiden Männer pendelten im selben Takt, sodass sie sich am höchsten Punkt der Schwungbewegung die Hand reichen konnten, hallo, grüß dich! Und dann ging Ragnar das höchste Risiko ein, er löste die Hände vom Seil und warf sich durch die Luft mit dem Ziel, in Hermannis Armen zu landen.

»Fang mich!«

Aber es misslang, und Ragnar Lundmark fuhr wie der Wind ins Leere. Er fiel auf das unten aufgespannte Trampolin, dessen elastische Haut wie von einem Kanonenschuss knallte und den Invaliden wieder in die Höhe beförderte. Der zerbrochene Gips verursachte eine riesige weiße Staubwolke, die bald die ganze Manege füllte. Viele Male fiel Ragnar hinunter und sauste wieder nach oben, bis die Bewegung langsam abebbte und er auf dem Gummituch liegen blieb. Sein Gips war in tausend Stücke zerbrochen, und als Hermanni herunterkam, stellte er fest, dass Ragnars linker Unterschenkel seltsam verrenkt war. Er war gebrochen.

33

Spät am Abend untersuchte Doktor Seppo Sorjonen Ragnars linkes Bein. Es steckte in neuem Gips, der diesmal eine wirkliche Fraktur fixierte. Sorjonen stellte fest, dass die Lissabonner Klinik gute Arbeit geleistet hatte. Die Bruchstelle war richtig zusammengefügt.

»Welch Glück, dass du schon Krücken hast«, sagte der Doktor erfreut.

Hermanni Heiskari wiederum litt an einem schlimmen Durchfall. Ursache war der Hummer, den sie im Pavillon neben dem Zirkus gegessen hatten, jedenfalls vermuteten sie das, da auch Ragnar Bauchgrimmen hatte. Hermanni hatte zwei Mal so viel gegessen, sodass er Fieber bekam und sich immer wieder übergeben musste. Doktor Sorjonen meinte, dass es sich um eine besonders schwere Lebensmittelvergiftung handelte, die aber mit der Zeit vorbeigehen würde. Er stellte zufrieden fest, dass nun beide Vagabunden an den passenden Krankheiten litten und für Frau Lundmarks Gesundheitsinspektion, die sich bedrohlich näherte, gewappnet waren.

»Im Allgemeinen heißt es, dass das Schicksal unberechenbar ist, aber jetzt scheint alles haargenau nach Plan zu laufen«, philosophierte er.

Zwei Tage später begaben sie sich frühmorgens zum Lissabonner Flughafen, um Lena abzuholen. Sorjonen hatte einen Geländewagen gemietet. Er chauffierte, denn Hermanni besaß keinen Führerschein, und Ragnar konnte wegen seines gebrochenen Beins nicht ans Steuer. Lena Lundmark kam in die Ankunftshalle geschwebt, ausgeruht und gut geschminkt. Es blieb noch ein bisschen Zeit zum Plaudern, ehe Sorjonens Maschine startete. Der Doktor gab Lena Anweisungen zur Betreuung der Patienten. Ragnars Bein, das er sich auf Tahiti gebrochen hatte, heilte gut, aber es sollte trotzdem nicht zu sehr belastet werden. Ruhe und Schmerzmittel. Hermannis »Malaria« wäre bald ausgestanden, wenn er drei Mal täglich Tabletten zur Beruhigung des Magens einnähme.

Ragnar hatte eine zweiwöchige Rundtour durch die portugiesische Provinz geplant. Es war ein weiter Kreis, der sich von der spanischen Grenze bis in den Westen und zu den mittelalterlichen Festungshügeln nahe des Atlantik erstreckte. Unterwegs würden sie in sechs herrlichen Pousadas logieren. In der Mitte des Kreises lag die Hauptstadt Lissabon. Insgesamt würden sie auf der Reise tausend Kilometer zurücklegen.

Ragnar erzählte seiner Nichte, dass die Pousadas ähnliche Staatshotels waren wie die Paradors in Spanien oder die alten staatlichen Touristenhotels in Finnland, mit dem Unterschied, dass hier auch der gewöhnliche Tourist in Königsschlössern oder historischen Klostern wohnen durfte, vorausgesetzt, er besaß das nötige Geld. Zum Beispiel vom Schloss Obidos im Nordosten Lissabons hieß es in den Reiseführern, dass es das Beste war, was Portugal auf dem Gebiet der Übernachtungen zu bieten hatte.

Doktor Sorjonen wurde verabschiedet, und dann setzte sich Lena Lundmark ans Steuer. Hermanni saß daneben, um die Landkarte zu lesen, und Ragnar ruhte mit seinem

Gipsbein quer auf der Rückbank. Er war mürrisch und klagte ab und zu über Schmerzen im Knochen. Das erste Etappenziel war die zweihundert Kilometer entfernte historische Stadt Evora. Die Fahrt durch weite landwirtschaftliche Anbaugebiete dauerte drei Stunden. Die Landschaft war großartig und die Straßen waren gut, mit Ausnahme der letzten Strecke. In diesen Ebenen des Alentejo wurden Weizen und Oliven angebaut, aber je weiter es nach Norden ging, desto größer wurden die Korkeichenwälder. Von Zeit zu Zeit schwankten den Reisenden schwindelerregend hohe Korkfuhren entgegen, die Fahrer der Lkws fuhren langsam und mitten auf der Straße, damit die wankenden Lasten nicht umkippten. Es war Schälsaison, das Pfropfenmaterial für Millionen von Weinflaschen ging in die Welt hinaus. Hermanni Heiskari wünschte sich, dass er seinen Anteil davon bekäme. Sein Magen hatte sich anscheinend schon beruhigt, vielleicht könnte er auf dieser Tour sogar wieder zum Vinho Verde greifen.

Unterwegs erzählte Lena von ihren Geschäften. Sie war eigentlich erleichtert, dass sie sich entschlossen hatte, ihre Reederei zu verkaufen. Erst jetzt merkte sie, wie todmüde sie war. Die jahrelangen Anstrengungen für die Vermehrung des Vermögens und in letzter Zeit der Kampf um den Erhalt des Besitzes hatten an den Kräften gezehrt. Alles war ihr nur noch gleichgültig gewesen. Wie sie sagte, hatte sie Verständnis dafür, dass manche Unternehmer sich nach einem Konkurs das Leben nahmen, da sie den Schmerz, ihr Vermögen zu verlieren, nicht ertrugen.

Lena bekannte Hermanni gegenüber, dass sie nicht mehr reich war. War der fliegende Holzfäller immer noch an der Ehe mit der Frau, die er gerettet hatte, interessiert? Eine direkte Frage. Hermanni erklärte, dass ihm Geld nicht

allzu viel bedeutete, da ihm nie viel von diesem Gut der
Welt zuteilgeworden war, obwohl er stets an der Beschaf-
fung gearbeitet hatte.

Ragnar schlief auf der Rückbank, das Gipsbein gegen die
Rückenlehne des Vordersitzes gestützt. Zur Unterhaltung trug er nicht gerade bei. Lena fragte verwundert, wie
schwer sich ihr Onkel das Bein auf Tahiti eigentlich verletzt hatte, da es ihm immer noch so große Schmerzen zu
bereiten schien. Darauf sagte Hermanni, dass Ragnar ein
sensibler Mensch sei, der an den Widrigkeiten des Lebens
schwer trage.

Lena erklärte ihm, dass sie beide sich nach ihrer Hochzeit
einschränken müssten. Sie müssten das Herrenhaus in
Maarianhamina aufgeben und sich ein kleineres suchen.
Schlimm erschien ihr der Gedanke, dass für Ragnars But-
lergehalt keine jährlichen Aufstockungen möglich wären,
sie wäre schon zufrieden, wenn sie ihm den Inflations-
ausgleich zahlen könnte. Ihren Worten zufolge war sie
inzwischen so bettelarm, dass sie außer dem Butler nur
noch ein einziges Dienstmädchen einstellen konnte.
Selbst der Gärtner konnte nur noch halbtags bezahlt
werden.

»Armut macht niemandem Spaß«, bestätigte Hermanni.

Gegen Abend quartierten sie sich in Evora in der Pousada
Dos Loios ein, die sich in einem uralten Kloster befand. Die
Zimmer waren eng, handelte es sich doch um ehemalige
Mönchszellen, mit dem Unterschied, dass sich wohl kein
enthaltsamer Mönch je von einer Klimaanlage, einem Föhn
und all den anderen Annehmlichkeiten eines Fünfsterne-
hotels hätte träumen lassen. Die Pousada war so schön und
berühmt, dass ständig Touristen kamen, um sie zu bewundern. Das Personal machte die Leute jedoch nachdrücklich

darauf aufmerksam, dass nur zahlende Gäste die historische Atmosphäre frei genießen durften.

Das Dos Loios hatte eine ausgezeichnete Küche. Das Trio genoss nach der Ankunft einen gebackenen Lammbraten nach Alentejo-Art und am nächsten Tag zum Lunch gebackene Seezunge in Kräutersoße.

Ragnar, der Invalide, lag in seiner Mönchszelle herum, aber Lena und Hermanni spazierten Arm in Arm durch die schmalen Gassen von Evora. Die Stadt war tausend Jahre alt und auf einem Hügel erbaut. Die Mauren hatten sie seinerzeit als ihre Hauptstadt gegründet, und auf dem Klosterhof gab es sogar einen römischen Tempel. Lena seufzte entzückt und sagte, dass man an solch einem historischen Ort viele Wochen zubringen könnte, um sich all das anzusehen, was die Römer, die Mauren und Manuel geschaffen hatten.

Sie erzählte Hermanni, dass sie sich ein Kind wünschte. Was meinte er dazu? Da sie nun ihre Reederei los war, hatte sie Zeit für die Mutterschaft. Hermanni wurde knallrot. Er räusperte sich und sagte:

»Tja ... zum Beispiel.«

34

Von Evora bis nach Elvas nahe der spanischen Grenze waren es nur etwa hundert Kilometer. Die Landschaft veränderte sich, wurde waldig. In Elvas sahen sie in einem Tal zwischen mehreren Hügeln eine römische Wasserleitung, ein Aquädukt. Es war ein beeindruckendes Bauwerk, ein in den Himmel gebauter zwei Kilometer langer Fluss, der bewies, dass bereits die alten Römer begriffen hatten, dass Wasser nicht bergauf fließt.

Gerade als sie dort standen und die wuchtige steinerne Wasserleitung bewunderten, schwebte aus der Höhe ein leuchtend gelber Regenschirm herab. Bald folgte ein zweiter, ein rot gestreifter. Unten sammelte sich Publikum an, der Verkehr geriet ins Stocken. Die Leute schienen zu wissen, worum es sich handelte. Wieder schwebte ein neuer Regenschirm herab, jetzt war es ein schwarzweißer. Im Minutentakt segelten sie nach unten auf die Straße, insgesamt mehr als zwanzig Exemplare. Als der Regen der Schirme endlich endete, erhob sich hinter dem Geländer eine alte Frau mit stolzer Haltung, sie beschrieb ein paar weite Kreise mit der Hand, so als wäre sie eine große Volksführerin, dann ging sie festen Schrittes bis zum oberen Ende des Aquäduktes und verschwand aus dem Blickfeld.

Die Finnen erfuhren von den Schaulustigen, dass es sich um eine betagte Baronin handelte, die ihr Geld in der portugiesischen Nelkenrevolution eingebüßt hatte – ihr Mann war vor der Revolution nach Brasilien geflohen, hatte das ganze Vermögen mitgenommen und seine Frau allein zurückgelassen. Die Ärmste hatte den Verstand verloren und veranstaltete seither alljährlich in Elvas dieses seltsame Schauspiel, sie warf den Volksmassen Regenschirme zu, wie um zu beweisen, dass sie, obwohl verarmt, immer noch ihre Untertanen zu schützen wusste. Sie war angeblich Insassin der Lissabonner Nervenklinik und bekam von dort die Erlaubnis, einmal im Jahr auf ihr altes Familiengut nach Elvas zu fahren und dort ihr Spektakel zu veranstalten.

Traurig dachte Lena Lundmark, dass genau das im schlimmsten Falle die Folge war, wenn ein reicher Mensch arm wurde.

Die Pousada Santa Luzia in Elvas war ein neues, von außen fast anspruchslos wirkendes Gebäude, das mehr an eine vornehme Villa als an ein Hotel erinnerte. Es gab einen Swimmingpool und einen schönen Garten. Spanische Tagestouristen bevölkerten die Pousada, sie kamen in lärmenden Scharen über die Grenze, um hier einen Lunch einzunehmen. Die elvasische Küche war so berühmt, dass die Gäste von weit her anreisten. Die lokale Spezialität war Dorsch Dourado, aber die drei Finnen speisten geschmortes Lamm.

Während Hermanni dem spanischen Palaver ringsum lauschte, philosophierte er über den höheren Sinn von Sprachkenntnissen. Er war der Meinung, dass sich der Reisende keine allzu guten Fremdsprachenkenntnisse aneignen sollte. Die Exotik, die Ausländern eine gewisse faszinierende Wirkung verlieh, verflog auf banale Weise, wenn sie den Mund aufmachten und lauter einfältiges

Zeug von sich gaben. Die Menschen, auch Idioten, reisten heutzutage viel und verbreiteten überall ihre dummen Gedanken, weil sie fremde Sprachen gelernt hatten. Blödsinn verbreitete sich mit blitzartiger Geschwindigkeit von Mund zu Mund, über die Sprachgrenzen hinweg. Das war auch der Grund für die zunehmende Oberflächlichkeit, ja den direkten Verfall der westlichen Zivilisation. Lautlose Einsprachigkeit sollte daher propagiert werden. Eigentlich müsste verfügt werden, dass nur einigermaßen vernünftige Menschen das Recht hatten, ein Gespräch zu eröffnen.

Marvao ragte schroff im Grenzgebiet zwischen Portugal und Spanien auf. Es war ein uralter Festungsberg, oben auf seiner Spitze gab es ein düsteres Schloss und eine kleine Stadt. In den schmalen Gassen mit Kopfsteinpflaster spielten schüchterne Kinder, und ein paar Touristen fotografierten sich gegenseitig vor den alten Schlossmauern. Zwei wütende Straßenköter balgten sich verbissen neben einer kleinen Leichenhalle. Sie stritten sich um einen stinkenden Knochen, den sie im umgekippten Müllcontainer gefunden hatten.

Die Pousada Santa Maria war aus zwei ehemaligen Privathäusern entstanden, und somit waren die Zimmer recht schlicht, jedoch ebenfalls mit allem nötigen Komfort ausgestattet. Ragnar Lundmark brauchte Zeit, um mit seinen Krücken die steilen Gassen zur Pousada hinaufzukraxeln, aber oben angekommen, freute auch er sich über den schönen Ausblick ins unten liegende fruchtbare Tal.

Auf der Speisekarte des Restaurants standen Flunder mit Koriander gewürzt, außerdem Äsche, Krabben und Hummer, obwohl man sich weit weg vom Meer befand. Lena und Ragnar bestellten sich zum Abendessen Fisch und Krebse, aber Hermanni mied all das und begnügte sich mit einer magenfreundlichen Suppe aus Ziegenfleisch, die die Spezialität des Hauses war.

Der Sonnenuntergang färbte den westlichen Horizont blaurot. In den abendlichen Dunst mischten sich helle Rauchstreifen, die von vereinzelt knisternden Buschbränden stammten. Im Osten, in den Ebenen Spaniens, ragten Kirchtürme auf, auch einige Städte, und dort badeten die vertrockneten Weizenfelder in gelbem Sonnenlicht. In diesen Gegenden waren im Laufe der Jahrhunderte unzählige Kriege geführt worden, Partisanen hatten beiderseits der Grenze zugeschlagen, das Blut von Menschen und Pferden hatte den lockeren Boden getränkt.

Der Festungsberg war der letzte Schutz gegen das angriffslustige Volk im Osten gewesen, in dieser Hinsicht befanden sich Portugal und Finnland in derselben Situation – beide hatten im Osten einen großen und eroberungswütigen Nachbarn, im Falle Finnlands war es Russland, im Falle Portugals war es Spanien.

Die drei Reisenden unterhielten sich darüber, welch schönes Schicksal Finnland in der Geschichte wohl gehabt hätte, wenn im Osten anstelle der Russen ein kleineres und sanfteres Volk gelebt hätte ..., aber als sie länger darüber nachdachten, fiel ihnen auf der ganzen Welt kein einziges Volk, kein Stamm und keine Rasse ein, die ausschließlich friedlich lebte.

Hermanni erzählte von seinen Erfahrungen mit der Verteidigungsbereitschaft der Schweden in seiner Jugend. Er hatte in den Fünfzigerjahren zusammen mit dem Schmucken Jussi an einer Reservistenübung in Mellajärvi in Ylitornio teilgenommen, und wie es manchmal so ist, hatten sie sich betrunken, sich anschließend in voller Montur auf ihre Jägerfahrräder geschwungen und waren nach Haaparanta auf schwedischer Seite gestrampelt. Zum Abschluss der Übung hatte Jussi ganz Haaparanta eingenommen und es mit Hermannis Unterstützung drei Tage und drei Nächte besetzt gehalten. Sie hatten im *Stadshotel* gewohnt und ein hartes Besatzungskommando geführt. Sie wären auch gern noch länger geblieben, aber die finnische Militärpolizei hatte ihr Zimmer gestürmt, sie beide nach Tornio verfrachtet und in die Zelle gesteckt. Zwei Wochen verschärfter Arrest waren die Folge gewesen.

Lena und Ragnar bezweifelten den Wahrheitsgehalt der Geschichte, denn von dieser angeblichen Eroberung war nie in der Öffentlichkeit berichtet worden. Laut Hermanni war der Fall absichtlich vor der Presse verschwiegen worden, damit die internationale Aufmerksamkeit nicht auf die peinlichen Schwächen der schwedischen Verteidigung gelenkt würde. Schweden hatte sich danach beeilt, die Ufer des Torniojoki mit massiven Bunkeranlagen zu befestigen, und in Kiruna war eine Raketenbasis errichtet worden. Lena dachte einmal mehr darüber nach, warum Hermanni und vermutlich auch die anderen fliegenden Holzfäller so maßlos übertrieben und flunkerten. Es konnte nur daran liegen, dass sie so elendig arm waren. Geistige Kompensation.

Ein ganz spezieller Ort im zentralen Portugal war die Pousada Sao Pedro am künstlichen See und Staudamm Castelo do Bode, dabei handelte es sich um die ehemalige Unterkunft der Ingenieure und Bauleiter, die heute wie eine vornehme Jagdhütte wirkte. Aus dem Restaurant und den Zimmern hatte man Blick auf den See und den Fluss, der am unteren Staubecken begann und an den Tenojoki in Finnland erinnerte. Die Küche war darauf spezialisiert, als Beilage zu den Hauptgerichten exotische Früchte zu servieren. Zum Beispiel war die im Ofen gebackene Seezunge mit flambierten Bananen angenehm saftig. Im Restaurant gab es einen großen Kamin, in dem abends Scheite aus Eukalyptusholz verbrannt wurden, die einen frischen, würzigen Duft verbreiteten.

Die Schmerzen in Ragnars gebrochenem Bein ließen endlich nach, und so machte er es sich zur Gewohnheit, abends herunterzukommen und ins knisternde Kaminfeuer zu blicken. Lena und Hermanni lobten ihren Butler dafür, dass er die lange Rundreise so brav mitgemacht hatte, ohne groß zu klagen. Hermanni ließ sich sogar dazu hinreißen, Ragnars Tapferkeit im Augenblick des eigentlichen Unfalls zu rühmen. Er war wie der Wind auf seinem feurigen Schimmel am Strand von Tahiti entlanggeritten. Plötzlich hatte dieses halb wilde Pferd den arglosen Helden abgeworfen. Ragnar war kopfüber ins Meer gestürzt, dabei war er mit dem Unterschenkel auf ein Senkholz gefallen, mit der Folge, dass das Schienbein mit einem bösen Knacken brach.

»Aber Ragnar hat gar nicht groß geklagt!«

Detailliert malte er Ragnars übermächtiges Leiden unter den primitiven Bedingungen aus, erzählte, wie der Verletzte mit zusammengebissenen Zähnen und Tränen in den Augen, aber wortlos seine grässlichen Schmerzen ertragen hatte. Auf der langen und schrecklichen Fahrt ins Krankenhaus von Papeete war Ragnar mehrmals ohnmächtig geworden, aber jedes Mal, wenn man ihn wiederbelebt hatte, hatte er sich ruhig und gelassen in die unmenschlichen Qualen geschickt, die sein gequälter Körper ihm zugemutet hatte. Hermanni fand, dass Ragnar einer der stillen Helden des Alltags war, die man höchst selten in dieser Welt traf.

Lena streichelte die heiße Stirn ihres Onkels und bat den Kellner, ihm ein Glas guten Kognaks zu bringen.

»Ich habe schon immer gewusst, dass du ein edler Charakter bist, Ragnar«, sagte sie. Der Angesprochene starrte mit wütendem Blick ins Feuer.

Als Hermanni auf Ragnars wilde Abenteuer mit den unberechenbaren Ureinwohnern von Turavinga zu sprechen kam, kippte der Butler seinen Kognak hinunter und humpelte in sein Zimmer. Im Gehen schielte er Hermanni finster an.

Um diese Jahreszeit herrschte wenig Verkehr, und die drei Reisenden, die bald nach dem Frühstück zu einer weiteren Tour aufbrachen, konnten in aller Ruhe die Landschaft genießen. Allerdings stellten sie fest, dass auf den Straßen dieses Landes unerhört dreist überholt wurde. Allein auf der Fahrt von Marvao nach Lissabon zählten sie fünf gefährliche Viel-fehlte-nicht-Situationen. Nicht umsonst war das portugiesische Volk so tiefgläubig und vertraute auf ein jenseitiges Leben.

Unterwegs machten sie in der abgelegenen Provinzstadt Tomar halt, um einen Lunch einzunehmen. Ragnar rühmte sich damit, welch gutes Händchen er bei der Auswahl lokaler, ländlicher Delikatessen hatte. Als koketter Mann von Welt wusste er, welche Speisen der Reisende genießen sollte. Er tippte mit seinem herrschaftlichen Zeigefinger auf ein Gericht vom Schwein, das die Speisekarte anzeigte, und schmunzelte zufrieden.

»Letztlich sind die einfachen Mahlzeiten, die mit tausendjähriger Erfahrung zubereitet werden, das Beste, was die Welt für einen armen Sterblichen bereithält.«

Der Schweinetopf erwies sich als ein Gemisch aus braunen Bohnen, Schweinsfüßen, Schnauzen, Schwänzen, Enddärmen und undefinierbaren Speckstücken. Aber ehe sie sich schlagen ließen, aßen sie das Zeug lieber, denn der Wirt sah aus, als hätte er harte Fäuste und verstünde nicht viel Spaß. In einer hügeligen Gegend im westlichen Portugal, zwischen der Atlantikküste und der Hauptstadt Lissabon, erhob sich die mittelalterliche Kriegsfestung Obidos. Sie war später zum Königsschloss umfunktioniert worden und diente heute als Pousada. Das Hotel hatte nur zwanzig Bettenplätze und mehrere Suiten, die sich in den hohen Wehrtürmen befanden. Die Finnen konnten jene im Südwestturm mieten. Es kostete Mühe, Ragnar durch die verwinkelten Säle und Gänge in sein Zimmer zu bugsieren. Lena und Hermanni bezogen die auf zwei Etagen eingerichtete spartanische Suite, deren einzige natürliche Lichtquelle eine schmale Schießscharte war. In der zweiten Etage stand ein jahrhundertealtes Baldachinbett, Schlafstatt von Fürsten und Königen. Auch dieser karge Turm war diskret mit allem denkbaren Komfort ausgestattet worden, einschließlich der ferngesteuerten Klimaanlage. Abends verwöhnten sich die Reisenden mit gegrillter Brasse und dampfgegarten Lammkoteletts. Das Frühstück nahmen sie in der Königsloge ein, die einen atemberaubenden Blick auf grüne Hügel und fruchtbare Täler mit leuchtend gelben Feldern bot.

Nachts drang durch die Schießscharte ein schmaler Streifen Mondlicht herein, er traf auf den an der Wand befestigten eisernen Ritterharnisch und ließ ihn silbern blinken. Es war ein gruseliger Anblick. Die düstere Stimmung des Turmzimmers beflügelte die Fantasie, lenkte die Gedanken auf das Leben und die Welt. Die Geister erhängter Burgherren und erdrosselter Könige forderten ihr Recht – zu spät, wie immer.

Lena sprach im Flüsterton mit Hermanni über die Situation in Finnland, die schlimmer war als je zuvor. Das Volk war in zwei Klassen aufgespalten, das war Fakt – in die Arbeitslosen und Ausgemusterten und in jene, die immer noch hofften und schwache Anzeichen einer beginnenden Konjunktur sahen. Eine Frau von fünfzig Jahren war faktisch Müll. Lena fand, dass es beim Volksaufstand nicht mehr nur um eine Revolte der Arbeitslosen ging, es würde auch die letzte Möglichkeit für all jene sein, die auf den Boden der Gesellschaft, in die unterste Klasse, niedergestampft worden waren. Sie selbst fühlte sich auf gewisse Weise ebenfalls zum B-Bürger deklassiert, auch wenn sie noch die Kontrolle über die Aktien der Speditionsfirma hatte.

Das Finnland der Diskriminierten war wie das jüdische Getto in Warschau zu Zeiten der deutschen Okkupation. Man konnte nicht mehr fliehen, überall waren Zäune. Die einzige Möglichkeit war ein verzweifelter Aufstand, und selbst der war zum Scheitern verurteilt.

Hermanni versuchte seine Braut zu beruhigen, aber sie hielt dagegen und behauptete, dass er und Ragnar keine Vorstellung mehr von der Wirklichkeit in Finnland hatten. Sie waren schon zu lange im Ausland, waren zu weit weg gewesen, sie hatten zu viel Geld zur Verfügung gehabt, ihr Leben war zu leicht gewesen. Sie waren übersättigt.

Lena bekannte, dass auch sie selbst nach dem Zusammenbruch ihrer Reederei erstmals im Leben begriffen hatte, was Unsicherheit und Angst wirklich bedeuteten. Sie flüsterte, dass sie sich von Herzen wünschte, ein gewaltiger Himmelskörper möge in Finnland einschlagen, möge das ganze unglückliche Land verbrennen und zersprengen, möge all den dummen Herren den Garaus machen und die armen Menschen befreien, die zu einem Leben im Elend verurteilt waren.

Im Stillen und mit einem zynischen inneren Lachen dachte sie, dass es langsam Zeit wurde für Hermannis Aufstand, damit sie noch einen Nutzen davon hatte und ihr der erhöhte Transportbedarf zu mehr Reichtum und ihrer Speditionsfirma zu neuer Blüte verhalf.

Hermanni seinerseits dachte darüber nach, ob man den Bürgerkrieg auf Finnland begrenzen konnte oder ob sich auch die Arbeitslosen in den anderen europäischen Ländern erheben würden. Würde es ein weltweiter Konflikt werden? Würde es der Untergang der Menschheit oder ihre reinigende Rettung sein?

Die durch die Schießscharte einsickernden Mondstrahlen wanderten langsam über die Ritterrüstung hin, überließen sie schließlich ihrer eisernen Dunkelheit und beschienen stattdessen das blinde grüne Auge der Klimaanlage.

Der Endpunkt der Rundreise, die Pousada de Palmela, war ebenfalls früher Festung und auch Kloster gewesen. Obwohl sie mitten in Lissabons südlichem Industriegebiet lag, störte das die Reisenden durchaus nicht, denn Palmela erhob sich in einsamer Majestät auf der Spitze eines hohen Berges. Neben einstigen Königen hatte die Pousada auch den mittlerweile verstorbenen französischen Präsidenten Mitterand bei seinem Staatsbesuch in Portugal beherbergt. Hermanni Heiskari erinnerte sich, dass auch der Schmucke Jussi bald nach dem Zweiten Weltkrieg hier zwei Nächte gemeinsam mit Mannerheim logiert hatte, als der in Portugal geweilt hatte, um seine Gesundheit zu pflegen. Jussi war so etwas wie ein privater Sicherheitsmann gewesen, denn der betagte Kriegsmarschall hatte seinen offiziellen Adjutanten nicht mehr recht getraut.

In der Pousada de Palmela stießen sie überraschend auf jenen russischen General, der Hermannis Studienkamerad in England gewesen war. Jetzt trug er die offizielle russische Armeeuniform mit zahlreichen Orden. Er saß im Café im Innenhof des Klosters und unterhielt sich mit einigen portugiesischen Herren. Als er die Finnen sah, freute er sich ungemein und eilte herbei, um sie zu begrüßen. Später am Nachmittag lud er Hermanni und seine Begleitung zu einem Umtrunk ein. Wie sich zeigte, hatte er irgendwie in Erfahrung gebracht, dass Lena Lundmark im Namen ihrer Speditionsfirma große Mengen chinesischer Sturmgewehre eingekauft hatte.

»Leider habe ich bei diesem Geschäft nicht als Vermittler fungieren können, aber bei eventuellem späteren Bedarf Ihrerseits hoffe ich, dass Sie meine Dienste nicht verschmähen.«

Der General fand, dass es angenehm war, mit Finnen Geschäfte zu machen, denn sie verstanden die russische Volksseele besser als die übrigen Europäer.

Der General kredenzte finnischen Wodka, Tee und Honig. Es war eine etwas seltsame Begegnung, aber zum Schluss war die Stimmung ganz locker. Lena erzählte, dass sie Hermanni heiraten wollte, und darauf stießen alle gemeinsam an.

In der Palmela nahmen sie ihr Abschiedsessen ein. Die zwei Wochen waren sehr rasch verflogen. Hermannis Magen war wieder in Ordnung, Ragnars Schmerzen im Knochen hatten nachgelassen, Lena hatte sich von ihrer Erschöpfung erholt. Zur Mahlzeit genossen sie gefüllte Taschenkrebse und Weißhaiflossen in Stoutmarinade.

Noch eine letzte Nacht ruhte das Paar im königlichen Bett, bevor sie heimreisten. Lena schlief unruhig, und in den frühen Morgenstunden klagte sie Hermanni gegenüber, wie schlecht es um Finnlands Arbeitslose, eigentlich um alle armen Leute stand. Der Menschheit ging es nicht gut, und ausgerechnet in diesen Zeiten musste sie heiraten.

Aber selbst die tiefste ökonomische Krise macht nicht jeden arm, und auch die größte Katastrophe tötet nicht alle. Auf einem kleinen Atoll im Stillen Ozean wurden um diese Zeit achtundzwanzigtausend ertrunkene Schafe angespült. Die Wellen schichteten ihre Kadaver zu einer weißen Wollmauer vor dem grünen Dschungel auf. Aber da waren auch vierzehntausend lebende Schlachttiere nebst mehreren Böcken, die die Weiden der Insel in Beschlag nahmen. Nicht allen auf dieser Welt geht es schlecht.

35

Es war ein ziemlich kalter Januartag, die Windgeschwindigkeit betrug fünf Meter pro Sekunde, als Lena Lundmark und Hermanni Heiskari auf dem Ukonkivi im Inarisee getraut wurden. Ein riesiger Heißluftballon der Speditionsfirma, versehen mit einem wunderschönen und leuchtenden roten Kreuz, vibrierte ungeduldig im Wind. Etliche Menschen waren auf den Opferstein geklettert, um bei der Trauung Zeuge zu sein. Da waren Hermanni Heiskaris Kinder, ferner Oberst Ragnar Lundmark im Halbgips, eine kleine Auswahl åländischer Herren aus der Reedereibranche samt Gattinnen, fünf Taxifahrer aus verschiedenen Gegenden Lapplands, dazu Vertreter des Roten Kreuzes, Doktor Seppo Sorjonen mit Frau, die erwachsenen Kinder der Heikkinens, deren Hände in den bunten Handschuhen steckten, die ihre Mutter Liisa gestrickt hatte, und schließlich der große fromme Bär Beelzebub und sein treuer Gefährte Pastor Huuskonen. Die beiden Letztgenannten waren eigens vom Berg Kälmitunturi aus dem Winterschlaf geholt worden, um Frau Lena Lundmark und ihren auserwählten Lebensretter, den fliegenden Holzfäller Hermanni Heiskari, zu trauen und ihrer Ehe zum luftigen Start zu verhelfen. Erschienen war auch ein alter Bekannter des Brautpaares, der russische General, mit einer tüchtigen Fuhre Hochzeitswodka, sowie direkt

auf dem Luftwege ein Unglückshäherpärchen aus Utsjoki. Diese beiden beteiligten sich an der Zeremonie, indem
sie jene bekannten Melodien flöteten, die die fliegenden
Holzfäller so liebten.

Die Braut trug Nerz, der Bräutigam einen festlichen halb-
langen Mantel.

Der Bär hielt mit einer Tatze die Gondel des Ballons fest,
damit der nicht vom launischen Nordwind hochgehoben
und womöglich gegen die Klippen geschlagen wurde. Nun
wurde alles eingeladen, was mit auf die Hochzeitsreise
sollte: je ein Korb mit Champagner, mit kalten Speisen, mit
Wasser, ferner mehrere Decken, eine Erste-Hilfe-Tasche,
ein Nachtgeschirr aus Porzellan sowie ein Aluminiumkoffer, der Tausende ausgedruckter Seiten mit Aufstandsplänen und Landkarten und zwanzig proppenvolle Disketten
desselben Inhalts enthielt. Man half dem Hochzeitspaar
beim Einsteigen, dann wandten sich die beiden dem Pastor
und Beelzebub zu.

Alle schmetterten zusammen die Nationalhymne, worauf
Pastor Huuskonen eine kurze Rede hielt. Er sprach über die
prinzipielle Bedeutung der Ehe, beleuchtete die Beschäftigungssituation im Land und nannte dann jene vorläufig
noch unbekannten außerirdischen Kräfte, die stets und
unentgeltlich ihre schützende Hand über die jetzt und hier
zu schließende Ehe halten sollten, in guten wie vor allem
auch in schlechten Zeiten.

Die Gasflamme in der Gondel begann zu fauchen.

Beelzebub kramte einen Beutel aus dem Rucksack des
Pastors, öffnete ihn mit flinken Fingern und förderte ein
kleines Samtkissen zutage, auf dem zwei goldene Ringe
lagen. Währenddessen musste er ständig mit einer Hin-
tertatze die Gondel festhalten, und ihn überkam ein leises

Gähnen, wie es bei Hilfspastoren häufig der Fall ist. Als sich schließlich unter den Hochzeitsgästen mehrere Freiwillige fanden – der russische General und ein paar schwedische Herren aus Åland –, die sich statt seiner um die Gondel kümmerten, konnte die schöne Zeremonie fortgesetzt werden.

Pastor Huuskonen sprach die Trauformel, der Bär überreichte dem Bräutigam die Ringe, sie wurden zum Zeichen des Bündnisses angesteckt, dann küsste Beelzebub die Braut und schleckte auch den Bräutigam ab. Zum Schluss wurde das Lied Nummer 347 gesungen. Beelzebub faltete die Tatzen und schaukelte seinen Oberkörper andächtig im Takt des Liedes.

Nun wurde Pastor Huuskonen, diesem als »Komet vom Kälmitunturi« weithin bekannten Kirchenmann, eine gut geschliffene Sichel übergeben, mit der er das Halteseil des Heißluftballons durchschlug wie den Gordischen Knoten.

Der Hochzeitsballon erhob sich leicht wie der flüchtige Gedanke eines fliegenden Gesellen, stieg geräuschlos auf und verschwand bald hinter dem südlichen Horizont. Die Hochzeitsgäste stiegen vom heiligen Opferstein der Lappländer aufs Eis des Inarisees hinunter, wo fünfzig Eisbohrer bereitlagen. Die Leute schickten sich an, Saiblinge zu angeln, sie brachten es auf insgesamt hundert Kilo und verspeisten die Fische später geräuchert draußen auf der schönen Salanuorainsel. Beelzebub servierte.

Die Sonne ging auf und beleuchtete Lapplands schneebedeckte Fjälls, die gewundenen Flussläufe und die weiten Eisflächen der künstlichen Wasserreservoire. Das Hochzeitspaar überflog die verbrannte Hütte von Porttipahta, dann trieb der Wind die beiden immer weiter südwärts in

267

Richtung Sompio, Keminhaara, Kuusamo und Savo. Unten in der weißen Landschaft trabten Rentierherden umher, gelegentlich war auch ein Elch zu sehen, und auf dem Eis eines jeden Sees hockten schwarze Gestalten, Eisangler, ausgerüstet mit kleinen Angelruten, um damit Fische heraufzuziehen und sie anschließend zu verspeisen.

Nach halbstündigem Flug ließ das Paar den ersten Champagnerkorken knallen. Die Unglückshäher erschraken, flatterten für einen kurzen Augenblick in die bereiften Wolken, ließen sich aber bald wieder auf dem Rand der Gondel nieder, um sich gegenseitig die Federn zu putzen. Der gute Butler Ragnar Lundmark hatte als Hochzeitsgetränk eine Kiste mit dem nach klassischer Methode (fermentation en bouteille selon la methode champenoise) hergestellten Krug Grande Cuvee Brut ausgewählt. Der Champagner war goldgelb, hatte einen reichen Duft und einen entwickelten, üppigen Geschmack, er war vollkommen trocken und leicht fruchtig. Das Paar stieß miteinander an, und Hermanni sagte:

»Auf deine ewige Schönheit,«

Nun öffneten sie den Proviantkorb, und Lena richtete auf dem Deckel an: geräucherte große Maränen, in Semmelmehl frittierte kleine Maränen, Lachs, Saiblingsrogen, Savolaxer Räucheraal, pochierte Tervolazwiebeln, glasierte Mandelkartoffeln, Kainuu-Brot, Aura-Käse, Gewürzmayonnaise und gehackten Estragon.

Die Unglückshäher bekamen den ihnen gebührenden Anteil.

Während des Hochzeitsmahls unterhielten sich die beiden über Hermannis Volksaufstand. Sie öffneten die zweite Champagnerflasche.

Mit großem Ernst reflektierten sie das Wesen des Bürgerkrieges. Wie viele Mütter würden ihr einziges, wenn auch arbeitsloses, Kind verlieren? Nachbarn würden sich gegenseitig umbringen, Brüder ihre Brüder töten. Die Wunden des Krieges würden frühestens im zweiundzwanzigsten Jahrhundert vernarben. Sie stellten sich das zerstörte Land vor, Waisen, verbrannte Dörfer und Häuser. Streunende Hunde würden gemeinsam mit Kriegsinvaliden Misthaufen durchwühlen.

Die Frage nach der ethischen Verantwortung für den Krieg regte sich. Welche genetische Auswirkung würde dieses Schlachten auf kommende Generationen haben? Wie würden die Götter auf all das reagieren?

Lena öffnete den Aluminiumkoffer mit den Aufstandsplänen und las die Übersicht über den chronologischen Ablauf laut vor: »Kampfbefehl mitten im Winter – im Frühjahr Ausweitung der Revolte – Kriegshandlungen im Sommer – im Herbst gründet der finnische Staat Konzentrationslager für die Arbeitslosen – im nächsten Winter die ersten Gerichtsprozesse – im Frühjahr Beginn der Hinrichtungen von Kriegsschuldigen – im Sommer erneutes Aufflammen der Kämpfe.«

»Trinken wir auf den Krieg oder auf den Frieden?«, fragte Hermanni ernst.

Sie erhoben die Gläser.

Die Unglückshäher hatten die Idee, durch die Ballonöffnung nach unten in das geräumige Herz zu fliegen, wo größere sommerliche Hitze als in Tahiti herrschte. Dort veranstalteten sie ein regelrechtes Flötenkonzert.

»Ist das hier Pudasjärvi?«, fragte die frischgebackene Ehefrau.

Hermanni schätzte, dass sie sich vielleicht in Iisalmi befanden, aber ebenso gut konnten sie auch in Ranua oder Tyrnävä sein. Ein Gentleman studiert auf dem Hochzeitsflug keine Landkarten.

Ihrer beider Schicksal während der Revolte und vor allem danach kam ebenfalls zur Sprache. Hermanni vermutete, dass er hingerichtet würde, und dasselbe Los prophezeite er seiner Frau. Ragnar bekäme lebenslänglich, was in seinem Alter höchstens zwanzig Jahre Zuchthaus, wenn überhaupt, bedeutete.

Lena ließ den Dokumentenkoffer zuschnappen und schleuderte ihn ohne ein Wort nach unten in die winterliche Wildmark. Ein pfeifendes Geräusch war zu hören, als er die Frostluft durchschlug.

Als die Gondel um das Gewicht der Kriegspläne erleichtert war, stieg der Ballon zu neuen Höhen auf.

Hermanni Heiskari war schockiert. Sein Krieg, über Jahre erdacht, war auf die Erde gefallen und verschwunden. Beinahe wäre der erste eheliche Sturm ausgebrochen. Hermanni konnte sich nur mit Mühe beherrschen, rasch überdachte er das Geschehene, und plötzlich überkam ihn grenzenlose Erleichterung. Er hob sein Champagnerglas und sagte: »Auf den Krieg kommt es beim Mann nicht an.«

Im hellen Sonnenlicht löste sich der blinkende Aluminiumkoffer von dem großen roten Ballon und sauste wie ein Meteorit nach unten. In der Nähe von Kiuruvesi landete er in einem einsamen Moor. Das Geschenk des Himmels bohrte sich in den Schnee, der Deckel wurde platt gedrückt, aber sonst blieb die Sendung unversehrt.

Gerade in diesem Moment war in der Gegend ein Mann auf Skiern unterwegs, es war Onni Ynjevi Schmuck, der einfältige und ungebärdige Enkel des Schmucken Jussi, der seine Wehrpflicht als Jägerpionier absolviert hatte. Brennend vor

Neugier inspizierte er den Inhalt des Koffers und erkannte sofort, dass es sich um einen detaillierten Kriegsplan handelte, der nur darauf wartete, verwirklicht zu werden.

Onni sauste los wie ein geölter Blitz. Nur keine Zeit verlieren!

Er hatte beschlossen, dass der Jüngste Tag nun anbrechen würde, und zwar noch vor dem Abend.

»*Ein Buch wie sein Autor:
urkomisch, poetisch und imposant.*«

GT EXPRESSEN

Arto Paasilinna
DER LIEBE GOTT MACHT BLAU
Roman
Aus dem Finnischen von
Regine Pirschel
288 Seiten
Gebunden in Leinen mit
Schutzumschlag
ISBN 978-3-7857-1621-2

Der liebe Gott hat die Nase gestrichen voll von den Menschen und all dem Unsinn, den sie verzapfen. Er braucht Abstand, ist schlichtweg urlaubsreif. Nur, wer soll ihn vertreten? Der Heilige Petrus und Erzengel Gabriel winken dankend ab. Ihr Vorschlag: Warum nicht einem Menschenkind den Posten eine Zeitlang übertragen? Und so klopft Erzengel Gabriel bei Kranführer Pirjeri Ryynanen an. Der fühlt sich so überrumpelt wie geehrt, als die Wahl auf ihn fällt. Er besteigt frohen Mutes den Himmelsthron. Doch bald merkt Pirjeri, dass Gottsein alles andere als nur Hochgefühle bereitet ...

»Arto Paasilinna ist der Großmeister der Groteske.« DIE WELT

edition Lübbe